잇스토리 영상화 기획 소설

안교찬 작가

CJ ENM 기획작가로 영화<헌트>의 각색에 참여하는 등 다수의 드라마와 영화의 각본과 각색 작업을 진행 중이다.

전국스토리텔링 공모전 대상, 영화진흥위원회 시나리오 공모전 3회 당선 등 다수의 공모전에서 수상한 이야기꾼이다.

특별한 파트너

ⓒ안교찬

본 소설은 영상화를 위해 기획 및 발행됐습니다.

창작공간, 잇스토리

목 차

프롤로그 001

1	.....	003	11	.....	077
2	.....	011	12	.....	087
3	.....	017	13	.....	094
4	.....	020	14	.....	111
5	.....	025	15	.....	117
6	.....	031	16	.....	129
7	.....	035	17	.....	140
8	.....	042	18	.....	146
9	.....	053	19	.....	151
10	.....	062			

에필로그 157

<프롤로그>

휠체어를 탄 인주가 거실 통유리에 앞에 앉아 창밖을 바라보고 있는데 휴대전화가 울렸다.
휠체어 바퀴를 능숙하게 굴리고는 식탁 위에 놓인 휴대폰을 집었다.

"어, 엄마! 아줌만 좀 어때?"
"말두마라. 경동맥이라 카든가, 거기를 제대로 찔려가 오늘이 고비라카드라."

다소 흥분된 엄마의 목소리에선 안타까움과 분노가 동시에 묻어나왔다.

"그럼, 오늘은 못 오겠네?"
"와? 보고 싶나?"
"보고 싶긴 누가?"
"가시나 말 좀 이쁘게 하라캐도... 문단속 잘허고 퍼뜩 자라 마."

전화를 끊은 인주가 리모컨을 집어 TV를 켜는데 초인종 소리가 들렸다.

보행기에 의지한 인주가 외시경 가까이 눈을 대 보지만 아무도 없었다.

잠금장치를 풀고 조심스럽게 현관문을 열어보지만, 아무도 없는 빈 복도엔 바로 전에까지 들어오지 않던 센서 등이 환하게 켜있었다.

불안한 듯 재빨리 현관문을 닫고 들어서는데 또다시 초인종이 울렸다. 순간 불안함이 엄습한 인주는 현관 옆 신발장에 놓인 멍키스패너를 꺼냈다.

멍키스패너를 꼭 움켜쥔 채 외시경에 눈을 갖다 대는데, 검은 물체 하나가 빠르게 휙 지나갔다.

놀란 인주는 여러 개의 잠금장치를 빠르게 걸어 잠갔다.

잠시 후 딩동- 소리와 함께 문자메시지가 들어오고, 문자메시지를 확인하던 인주가 놀라 자신의 입을 틀어막았다.

또다시 들어오는 문자메시지에 인주는 소리를 지르며 휴대폰을 떨어뜨렸다.

떨어진 휴대폰을 집어 들고는 잠겨 있는 잠금장치를 미친 듯이 풀기 시작했다.

마지막 잠금장치가 풀리고 밖으로 나가려던 인주가 천천히 뒤를 돌아보면,

빠르게 달려드는 검은 그림자가 인주를 덮쳤다.

<1>

<일주일 전>

평일 낮 시간대임에도 도심 인근 도로는 극심한 정체 현상이 벌어지고 있고, 폭염에 아스팔트가 일렁이며 끊임없이 아지랑이를 분출하고 있었다.

차량들 사이에 샌드위치처럼 끼어 있는 한국 택배 차 안으로 도현이 얼굴에 흐르는 땀을 손을 털어 내고는 말라비틀어진 김밥 하나를 입안에 쑤셔 넣었다.
김밥을 삼키기도 전에 휴대전화가 울리고 액정을 보던 도현의 미간은 자동으로 찌푸려졌다.

"그럼 그렇지! 웬일로 건너뛰나 했다."

도현은 푸념 섞인 한마디를 내뱉고는 전화를 받았다.

"예 고객님! 몇 시요? 그 시간엔 죽었다 깨도 안 됩니다.

고객님만 사정이 있는 게 아니잖아요!
알았어요, 알았으니 지난번처럼 또 민원 넣으면
안 됩니다."

전화를 끊은 도현이 먹던 김밥을 신경질적으로 내
팽개쳤다.

가까스로 약속 시간에 맞춰 대명빌라에 도착한 도
현은 멘붕상태에 빠졌다. 엘리베이터에 붙어있는
점검 중 안내문을 봤기 때문이었다.
한쪽 어깨엔 20kg의 쌀 포대를 다른 어깨엔 2ℓ
생수 12병을 걸쳐 멘 채 계단을 올랐다.
땀으로 샤워를 한 도현이 연신 가쁜 숨을 몰아쉬
며 초인종을 누르면 아줌마 특유의 파마머리를 한
50대 후반의 미숙이 모습을 드러냈다.

"이제 오면 어떡해? 쌀이 떨어져 밥도 못 하고
있는데..."
"떨어지기 전에 미리미리 사시래도... "
"알아서 딱딱 갖다 주는데 뭐 하러?"

도현은 목구멍에서 뜨거운 욕설이 올라오는 걸 간

신히 눌러 참았다.

"이거 퀵 아니고 택배거든요!!"
"퀵인데 눈 동그랗게 뜨고 대들면 가만있긴 하고? 나 허리가 안 좋으니 안에 들여놓고 가."

도현이 구시렁거리며 안으로 들어서면 한쪽 구석에 수북하게 쌓여 있는 여러 개의 택배가 보였다. 미숙은 쌓여 있는 택배들이 못마땅한지 연신 발로 툭툭 차며 말했다.

"빨리 가져가래도 안 가져가고. 입주자 대푠지 뭔지 맡길 때부터 알아봤어야 한다니까!"

도현이 한쪽 구석에 쌀 포대와 생수를 내려놓는데 애완견들이 맹렬히 짖기 시작했다. 순간 도현은 움찔하며 뒤로 물러났다.

"젊은 사람이 겁은, 우리 애들은 안 물어."

도현은 갑자기 바지를 걷어 올리고는 개에 물린 상처를 보여줬다

"다들 그럽니다. 우리 개는 순해서 안 문다고. 그럼 이건 뭐 내가 문 건가!!"

뻘쭘한 미숙이 음료수를 가져와 건넸다.

"괜찮아요, 화장실 갈 시간도 없고 요즘 장이 안 좋아서..."

자신의 성의를 무시한 도현이 못마땅한지 미숙은 한껏 쏘아봤다.

"어떻게 계속 들고 있을까?"

말이 길어질 것을 염려한 도현은 하는 수 없이 음료수를 마셨다.

"벽지를 바꾸실 거면 다른 색으로 좀 하시지?"
"어? 언제 왔었나?"
"전에 문밖에서 잠깐...."
"근데 그걸 기억한다고? 색깔도 같은데?"
"전에 건 흰색에 나무 무늬, 이번 건 흰색에 물결 무늬!!"

미숙은 그런 도현이 신기한지 계속 말을 이어나갔다.

"쭉 한번 봐봐, 또 바뀐 게 있는지."

도현은 거실을 대충 쓱 둘러봤다.

"주방 커튼도 새로 하셨고, 키친툴 세트도 새로 하셨고.... 형광등은 그새 하나가 나간 거 같고... 청화백자 화조문호는..... 사고를 제대로 치셨네요? 해외에 계신 남편분이 젤로 아끼는 거라고 안 하셨나?"

순간 미숙은 목젖 너머로 마른침을 꿀꺽 삼켰다.

"그... 그게... 무슨 소리야? 티가 나?"
"청화백자에 그려진 꽃은 그렇다 쳐도 저 새는 피트니스 센터에 보내야 할 거 같은데요?"

미숙은 영문을 모르겠다는 듯 싱크대 안에 숨겨둔 보자기를 펼쳤다. 그제야 박살 난 청화백자가 모습을 드러냈다.

조심스럽게 모조품과 깨진 진품을 비교하자 진품 속 새와 달리 모조품 쪽 새는 심하게 살이 쪄 있었다.

"뭐, 감쪽같아? 망할 놈의 영감탱이를 그냥...."

도현은 왠지 모를 의기양양함이 밀려왔다.

"전부터 눈썰미 좋단 얘길 많이 듣곤 했죠."
"외우는 건 안 돼? 거 왜 영화나 드라마 같은데 보면 한번 본 법전도 달달 외워서 사법고시도 한 번에 척 붙고 아버지 원수도 갚고 막 그러잖아?"

좀 전의 의기양양함은 사라지고 일순 합죽이가 되었다.

"하긴, 그게 되면 택배나 하고 있겠어?"

도현은 순간 울화가 치밀었다.

"택배가 뭐 어때서요? 빨리 사인이나 해줘요!!"
"사인은 뭔 놈의 사인?"

"받고도 안 받았다, 모르겠다, 물어내라 하는 사람이 제 앞에 있어 그럽니다!"

뻘쭘한 표정의 미숙이 도현의 눈치를 보며 사인을 대충 휘갈겼다.

도현은 여전히 기분이 안 좋은지 투덜거리며 8층 계단을 터벅터벅 내려갔다. 그러다 무슨 소리를 들었는지 계단 밑을 내려다보는데 다른 회사의 조끼를 입은 택배기사가 보였다. 그런 택배기사를 물끄러미 쳐다보는데 도현의 휴대전화가 요란스럽게 울렸다.

"새끼, 참 일찍도 전화한다? 아- 너만 바쁘십니까? 방구석에서 빌빌거리는 거 사람 구실 하게 해줬더니 쌩깜으로 보답하시겠다?"

전화를 건 이는 도현의 둘도 없는 절친 윤호였다.

"새끼 생색은, 누가 들으면 연봉 일억쯤 받는 곳에 취직시켜준 줄 알겠네."
"몰랐냐? 생색이 내 삶의 원동력인 거? 어머닌

좀 어떠셔?"

"그냥 그렇지 뭐."

"이따 모임에 올 거지? 바쁘면 안 와도 되고...."

"안가면 또 물고 뜯고 씹고 해서 병신 만들게?"

"에이- 그 정도로 끝나겠냐? 궁금하면 한번 빠져보시던가... 야, 전화 들어온다."

윤호의 전화를 끊고는 걸려온 전화를 받았다.

"어, 왜? 뭐! 너 지금 그걸 말이라고 해? 어디면? 문제의 그 빌라다!!"

도현은 자신이 내려온 계단을 올려다보며 한숨을 푹 내쉬었다.

2

책상에 앉아 있는 인주의 시야에 전공 서적들이 들어왔다. 전공 서적들을 펼치다 시선을 옮기면 쓰다만 복학 원서가 보였다. 펜을 집어 비워진 복학 원서를 채우는데 밖에서 우당탕거리는 소리가 들렸다. 인주가 급히 밖으로 나가면 마트 이니셜이 박힌 조끼를 입은 직원이 바구니에 담긴 물건들을 쏟아놓고 있었다.

인주 모가 성인용 보행기를 밀며 나오는 인주를 보자 마트 직원에게 빨리 가라는 제스처를 취했다.

"마트 차리게?"
"그기.... 세일이라 캐가...."

인주 모가 쪼그라드는 목소리로 말했다.

"일 년 삼백육십오일 중 세일 아닌 날은 있고?"
"다 필요해가 산거 아이가. 이른 게 다 절약인기라."
"아- 그러세요? 저걸 보고도?"

인주가 가리키는 쪽으로 시선을 옮기자, 수북이 쌓여 있는 마트 물건들이 보였다. 순간 어찌할 바를 몰라하는 인주 모가 재빨리 말을 돌렸다.

"니 약속 있다 안캤나?"
"집에서 보기로 했어."
"만날 여자 둘이 붙어가 뭐하는데?"
"그럼 남자랑 막 붙어 다니면 좋겠어?"
"하모, 라면 먹고 간다카믄 집도 비워 주꾸마."
"어우 저질."

편의점 앞 테이블에 앉아 있는 도현이 요란스럽게 내리는 비를 보고 있었다. 잠시 후 편의점에서 나오는 후배는 미안한 가득한 표정으로 도현에게 캔 커피를 건넸다.

"형, 죄송해요!! 괜히 저 땜에."
"언제부터 실려 있던 거야?"
"그제부터요."
"날도 더운데 이럴래? 물건은?"
"형 차에...."

"새끼가, 문제해결 능력은 졸라 빨라요."

후배는 겸연쩍은지 연신 뒷머리를 긁적였다.

"까탈스럽지 않은 고객 만난 걸 감사해라!"

일순 후배의 얼굴이 똥 씹은 표정으로 변했다.

"왜 그러는데?"
"방금 전에도 고객센터로 항의 전화가 왔다고."
"그럼 빨리 갖다 줘야지, 뭐하는데?"
"그.... 그게... 디지털단지 가는 것도 잘못 들고 와서...."

도현은 어이가 없다는 표정으로 후배를 쏘아봤다.

"와- 진짜 돌겠네! 넌 들어 온 지가 언젠데 물건 하날 못 챙기냐? 뭐해, 고객 전번 주지 않고!"

그 시각 주희는 인주와 통화를 하며 푸념 섞인 불평을 늘어놓고 있었다.

"짜증나. 몇 시간째 이러고 있는데 저녁때나 돼야 온다네."
"아 그러시구나, 한 시간 째 널 기다리고 있는 내 생각은 안나디?"

주희는 그제야 인주와의 약속이 생각났다.

"아― 내 정신 좀 봐, 지금 바로 갈게."
"커피 마시려던 거 아니었어?"
"어?"

주희가 시선을 옮기자 가스레인지 위에서 하얀 김을 토해내고 있는 스테인리스 주전자가 보였다.

"웬만하면 포트 하나 사라니까."

주희는 가스레인지 불을 끄고는 말을 이어나갔다.
"포트로 끓이면 커피 맛이 안 산다고요."
"원두도 아닌 믹스커피 먹으면서 지랄은... 너 또 물 안 잠갔어?"

주희는 설마 하는 표정으로 반쯤 열린 욕실 문을

열었다. 하지만 세면대, 샤워기 모두 이미 잠가진
상태였다.

"이제야 니가 사람으로 보이기 시작한다."

하지만 인주의 귀에는 여전히 물소리가 들렸다.

"무슨, 아직도 들리는데."
"들리긴 뭐가..."

소리의 근원지를 찾던 주희는 소스라치게 놀랬다.
그것은 다름 아닌 비데 노즐부에서 아래로 똑똑
떨어지는 물소리였기 때문이었다.

"친구지만 난 니가 무섭다."
"적으로 만나면 더 무서울걸. 위층에 누가 새로
이사 왔어? 애들 소리도 나는 거 같고...."

주희는 익숙한 일임에도 놀라지 않을 수 없었다.

"그것도 들려? 환장하겠네... 사고 이후로 계속 그
런 거지? 청각 과민증 그거 그냥 두면 안 된다던

데..."

"남의 귀 걱정 말고 티브이나 끄세요! 영어 울렁
증 있다는 얘가 미드는."

주희가 시선을 옮기자 티브이에선 범죄 수사물로
보이는 미드가 한창이었고, 볼륨을 확인하자 들릴
듯 말 듯 한 1단계였다.

<3>

마음이 급한 도현은 빠르게 택배차를 몰았다. 낡은 주택들이 따닥따닥 붙어있는 주택가를 오르는데 갑자기 나타난 중년의 여성이 들고 있던 쓰레기를 택배차를 향해 툭 던지고는 손으로 우산을 만들며 빠르게 사라졌다. 도현은 차에서 내려 따져 묻고 싶었지만 시간이 없었다.

비좁은 골목을 가까스로 통과한 택배차 앞에 내리막길이 펼쳐졌다. 내리막길을 빠르게 내려가는데 펑- 하는 소리가 들렸다. 급하게 차를 세운 도현이 바퀴를 살피자 나사못 여러 개가 타이어에 쿡 박혀 있었다.

되는 일이 없다는 듯 머리를 마구 헝클이던 도현이 타이어를 강하게 걷어차고는 깽깽이 발로 폴짝 폴짝 뛰었다.

어느새 주희는 인주의 집에 도착해 있었고, 인주는 잔뜩 열이 받은 듯 씩씩거리고 있었다.

"그래서 가만있었어?"
"가만있긴, 죄송합니다, 고객님 했지."

주희의 대답에 인주는 어이가 없었다.

"니가 사꽐 했다고?"
"우리 직업이 원래 그래. 고객이 실수해도 죄송합니다. 고객이 못 알아 처먹어도 죄송합니다. 고객이 생떼를 쓰며 지랄을 해도 죄송합니다."

인주는 속이 타는지 앞에 놓인 생수를 벌컥벌컥 마셨다.

"뭐 그런 거지 같은 경우가 다 있어?"
"이건 그냥 애교지. 욕으로 시작해 욕으로 끝나는 인간이 있질 않나, 매일 전화해 신음소릴 내며 만나달란 인간이 있질 않나."
"신음? 으아하- 아으하- 이런 거?"

주희는 말없이 고개를 끄덕였다.

"그걸 가만뒀어? 아프면 병원엘 가든 자위를 하세요, 하지? 이참에 그만두고 복학하는 건 어때?"

주희는 자신도 모르게 한숨이 터져 나왔다.

"말이 쉽지, 그게 쉽나."

인주는 한 치의 망설임 없이 서랍 안에서 두툼한 돈 봉투를 꺼내 내밀었다.

"그냥 주는 거 아니니 너무 고마워하진 말고, 이런 친구 둔 건 무지 고마워하고."

주희는 고마움과 미안한 감정이 동시에 밀려왔다.

"어떻게 받아, 이건 너 복학 하려고 모아둔 거잖아?"
"내 상태를 봐라, 이 몸으로 복학한들 얘들이 좋아하겠니? 교수가 좋아하겠니?"

주희는 휠체어에 앉아 있는 인주의 두 다리를 하릴없이 쳐다봤다.

<4>

강력계 형사인 형진이 비 묻은 옷을 툭툭 털며 안
으로 들어서자, 하나같이 담배를 피워 문 탓에 오
락실 안은 그야말로 화생방 훈련장을 방불케 했
다.

"카야- 장사 잘되는데? 법과 정의, 양심 이딴 걸
버려야 돈이 된다니까."

형진을 보자 검은 뿔테 안경을 쓴 지배인이 다급
하게 달려왔다.

"여기까진 어쩐 일이십니까?"

형진은 그런 지배인이 못마땅한지 손가락으로 가
슴을 쿡쿡 찌르며 말을 이어나갔다.

"관할서 형사가 관할구역 순찰 나온 게 이상해?"

휴우- 지배인은 답답한지 탄식 섞인 한숨을 토해
냈다.

"사쿠라, 진짜 어디 있는지 모릅니다."
"알아! 사쿠라가 지금 필 때가 아니긴 하지."
"진짭니다! 그놈 쌍판때기 본 지 한 달도 넘었다니까요!"

형진은 이미 모든 걸 안다는 듯 지배인을 날카롭게 노려봤다.

"너 종태 알지? 이 새끼가 냄새만 잘 맡는 게 아니라 시력도 졸라게 좋아요. 양쪽 다 이점영 이점영이라든가..... 그런 종태가 이틀 전에 봤다 그러더라고. 돋보기까지 처 쓴 넌 한달 동안 못 봤다 그러고. 누구 말을 믿어야 할까? 어?"
"……"

형진이 난감해하는 지배인을 쳐다보고는 시선을 옮기면, 주인 잃은 오락기 한 대가 열심히 돌아가며 제 본분을 다하고 있었다.

"저... 저건 제가 그냥 심심풀이로다가..."
"니가 돌리던 거다?"

오락기로 다가선 형진이 가래침 범벅이 돼 있는 종이컵 안으로 손을 쑤셔 넣고는 담배꽁초를 꺼냈다.

"던힐에서 언제 람보르기니를 갈아탔는데?"

예상치 못한 형진의 질문에 지배인은 마른 침을 꿀꺽 삼켰다.

"그.... 그게 이번에."

형진이 지배인을 한껏 노려보고는 몸을 뒤적여 담배를 꺼내면 다름 아닌 던힐이었다. 지배인은 망했다는 듯 인상을 쓰며 눈언저리를 긁적였다.

"듣자 하니 VIP만 따로 선별해 안마도 받게 해준다고? 씨발, 좋네! 껨도 하고 떡도 치고!"
"지금 때가 어느 땐데 말도 안 되는 소릴 하십니까?"

형진은 지배인을 한껏 노려보고는 주머니에서 겔포스를 꺼내 쭉쭉 빨았다.

"내가 니들 때문에 위장병을 달고 산다. 너 하나 집어 처넣어봐야 딴 놈 앉히면 그만이고, 업장 폐쇄해봐야 다른 데 가서 차리면 그만이고, 그냥 겜이나 하다 퇴근이나 할란다."

"……"

형진이 게임기 앞에 앉아 주머니에서 뭔가를 꺼내 놓자, 게임을 하던 손님들이 놀라 벌떡 일어섰다. 어느새 형진 주위로 손님들이 몰려들고, 그런 손님들 시선으로 경찰 신분증과 수갑, 그리고 38구경 권총이 보였다. 그제야 눈치를 챈 손님들이 누가 먼저랄 것도 없이 서둘러 밖으로 튀어 나갔다.

"조용하니 좋네! 이제 대화가 좀 될 거 같고."

이제 더 이상 버틸 재간이 없는지 오만상을 쓰는 지배인이 턱짓으로 화장실을 가리켰다.
퍽! 퍽! 퍽! 누군가 심하게 얻어터지는 소리가 들리고, 간헐적으로 한껏 억눌린 남자의 신음소리가 들렸다. 잠시 후 문이 열리자 입고 있던 셔츠를 얼굴까지 올려 쓴 남자가 형진에 의해 끌려 나왔다.

그런 남자의 어깨와 등에 사쿠라 문신이 선명히
박혀 있었다.

5

우리택배라 박힌 택배차가 주차된 차들을 피해 아
슬아슬하게 지나가고 있었다. 그러다 뭔가에 부딪
히는 둔탁한 소리에 들리자 윤호가 차 밖으로 고
개를 삐죽 내밀었다. 윤호는 목이 꺾여 덜렁거리
는 백미러를 보고는 양미간을 좁혔다. 차에서 내
린 윤호가 차주의 연락처를 찾아보지만 어디에도
보이지 않았다.

마냥 기다릴 수 없었던 윤호는 창문 틈에 자신의
명함을 꽂아 놓고는 다시 차에 올랐다. 가까스로
펑크 난 차를 고친 도현이 다시금 대명빌라를 찾
았다. 계단을 조심스럽게 올라가는 도현의 모습이
어딘가 불편해 보였다. 목적지에 다다르자 연신
초인종을 눌러대는 것도 모자라 꽈배기처럼 몸을
배배 꼬고 있었다.

"그러게 안 마신다니까...."

아무런 인기척이 없자 다급한 듯 고객의 이름을
부르며 문을 쾅쾅 두드렸다. 그때 도현의 등 뒤에
서 여자의 목소리가 들렸다.

"어떻게 오셨죠?"

뒤를 돌아보던 현도는 주희를 향해 택배박스를 들어 보이며 어색하게 웃었다. 택배를 받은 주희가 번호키를 누르며 안으로 들어가려는 찰라 도현은 다급하게 문을 잡았다. 도현은 최대한 안쓰럽고 불쌍한 표정으로 주희를 바라봤다. 제발 날 내치지 말아 달라는 그런 간절함이 묻어나왔다.

택배 일을 마친 윤호는 모임 장소인 호프집으로 향했다. 안으로 들어서자 먼저 와 있던 친구들이 윤호를 반겼지만 도현의 모습은 보이질 않았다.

"많이 바쁜가 보다?"
"죽을 맛이다. 특히 오늘같이 비 오는 날은 더더욱."

그러자 다른 친구가 빈정거리며 말했다.

"새끼, 만드는 것도 아니고 갖다 주기만 하면 되는데 엄살은..."

그 말을 들은 윤호 또한 빈정이 상했다.

"여전하구나, 말 싸가지 없게 하는 건!
그러는 넌 업무는 컴퓨터가 다해주고, 출력은 복사기가 다해주고, 프리젠테이션은 빔프로젝터가 다해주는데 뭐가 힘들다고 징징대는데?"
"……"

윤호는 통쾌하다는 듯 앞에 놓인 생맥주를 마시는데 휴대전화가 울렸다.

"맞는데 어디시죠? 아, 아까 그 차주분이요?"

가스레인지 위에 올려놓은 스테인리스 주전자가 쌕쌕 소리를 내며 하얀 김을 쏟아내고 있었고, 소파에 앉은 주희가 손에 매니큐어를 바르며 통화를 하고 있었다.

"넌 들어갔으면 갔다고 톡이라도 좀 해라."
"미안 뭐 좀 하느라…"
"아– 손톱에 매니큐어 바르는 게 그렇게 중요하셨어요?

순간 주희는 소스라치게 놀랐다.

"서... 설마 보이기까지 하는 건 아니지?"
"뭐래? 손가락에 바람을 그렇게 불어놓고... 내가
준 건 잘 챙겼지?"

주희가 시선을 옮기면 테이블에 놓인 퀼트가위가
보였다. 그때 화장실 안에서 뿌지지지익~ 푸드득!
연속적으로 설사 음이 들렸다.

"무슨 소리야, 누가 왔어?"
"어, 택배기사."

인주는 택배기사라는 말에 어이가 없었다.

"어떤 정신 나간 택배가 여자 혼자 사는 집에서
폭풍 설살 해?"
"그럼 어떡해, 급하다는데...."

잠시 후 쏴아- 변기 물 내려가는 소리와 함께 도
현이 나왔다. 주희와 눈이 마주치자 뻘쭘한지 계
속해서 주방 쪽으로 시선을 옮겼다.

"안가세요?"
"아... 가야죠. 갑니다, 가요."

도현이 꾸벅 인사를 하고는 서둘러 밖으로 나갔다. 주희는 도현이 나간 걸 확인하고는 다시금 휴대전화를 귀에 갖다 댔다.

"얘가 얘가 세상 무서운 걸 몰라요!!
택배기사가 강도로 돌변했다는 뉴스도 안 봐?"
"또 시작했네, 우리 인주 잔소리."

인주의 잔소리가 싫지 않은지 배시시 웃었다.

"너 웃어넘길 일이 아니래도... 자... 잠깐! 간 거
아니었어?"
"······!"

인주는 휴대전화를 최대한 귀에 밀착시키며 수화기 너머로 들리는 소리에 집중했다. 그러다 뭔가를 들었는지 인주의 두 눈이 급격히 커졌다.

"주희야! 그 신음소리 낸다는 인간 너 어디 사는

지 알아?"
"왜 그래, 무섭게?"

겁에 질린 듯 주희의 목소리는 가늘게 떨렸다. 그
때 주희의 등 뒤로 검은 물체가 빠르게 지나갔지
만 주희는 알아채지 못했다.

인주는 보행기에 의지해 휠체어가 있는 거실로 향
하는 내내 모든 신경세포가 휴대전화에 쏠려있었
다.

"주희야! 내 말 잘 들어. 지금 당장 거기서 나
와!!"
"대체 왜 그러는데?"
"그냥 빨리 나오라고!!"

<6>

아직 대명빌라를 벗어나지 않은 도현이 주차된 택배차로 향했다. 다음 배송지를 확인하고는 시동을 거는데 불현듯 뭔가가 떠올랐다.

"아- 사인..."

주희는 상의에 한쪽 팔만 겨우 집어넣은 채 현관으로 향했다. 긴장한 탓인지 신발마저 제대로 신겨지지 않자 대충 구겨 신었다. 현관 손잡이를 잡고 나가려는데 뭔가 이상한지 천천히 뒤를 돌아봤다.

계단으로 올라왔는지 연신 가쁜 숨을 몰아쉬는 도현이 주희의 집 초인종을 눌렀다. 아무런 반응이 없자 남 주희 씨를 부르며 문을 쾅쾅 두드렸다. 하지만 고요한 정적만 흐를 뿐 아무런 인기척도 들리지 않았다.

현관 앞에 서 있는 주희의 두 눈은 이미 튀어나올 듯 커졌고, 흰 눈동자 주위엔 실핏줄이 도드라지게 보였다. 주희의 눈동자가 천천히 내려가면 입을 틀어막고 있는 검은 장갑이 보였고, 목을 겨누고 있는 시퍼런 칼날도 보였다.

잔뜩 겁에 질린 듯 부들부들 떨고 있는 주희가 자신의 이름을 부르는 현관문을 간절하게 바라봤다.

문밖에 있던 도현은 혹시나 하는 표정으로 현관문 손잡이를 아래로 내렸고, 이내 현관문이 스르륵 열렸다. 삐죽 열린 문틈으로 주희와 범인의 형체가 어렴풋이 보였지만 도현은 전혀 알아채지 못했다.

도현이 안으로 들어서려는 순간 휴대전화가 울렸고, 고객의 짜증 섞인 목소리가 휴대전화 너머로 생생하게 전해졌다.

"고객님 사정은 알겠는데 그때까진 죽어도 못갑니다. 회사로 오라고요? 이게 무슨 찾아가는 서비슨 줄 아세요? 급한 건 알겠는데 그러면 동선이 다 꼬인다니까요!"

말이 안 통하는지 한숨을 내쉬던 도현이 현관문을 닫고 밖으로 나갔다.

"그럼 경수동만 돌고 바로 넘어갈게요."

도현은 바쁜 걸음으로 사라졌고, 주희의 시선은 멀어져가는 도현의 발걸음을 쫓았다.

도현이 사라지자 검은 장갑의 사내는 치아를 드러내며 비릿하게 웃었다. 주희의 목주름을 따라 사내의 칼날이 지나가자 목에서 스멀스멀 피가 흘러나왔다. 순간 들고 있던 주희의 휴대폰이 힘없이 바닥으로 툭 떨어지고, 눈 안 가득 고인 눈물이 주르륵 흘러내렸다.

휠체어 바퀴를 빠르게 굴리며 아파트 복도로 나온 인주는 계속해서 주희의 이름을 불렀지만 아무런 대답이 없었다. 잠시 후 우당탕하며 뭔가가 부딪치는 소리가 들렸고, 뒤이어 한껏 억눌린 주희의 신음소리가 들렸다. 빠르게 휠체어 바퀴를 굴리며 엘리베이터로 향하던 인주가 소리쳤다.

"주희야! 남 주희! 제발 대답 좀 해!"

그때 엘리베이터 문이 열리고 안에서 인주 모가 모습을 드러냈다.

"니 그 몸으로 으데 가는데?"

인주는 인주 모의 말이 채 끝나기도 전에 인주모를 밀치며 엘리베이터 안으로 들어섰다. 빠르게 닫힘 버튼을 누르고는 더디게 내려가는 숫자판을 쳐다보는데 주희의 흐느끼는 소리가 들렸다.

"주희야! 괜찮아? 너 괜찮은 거지?

소리가 점차 또렷해지자 인조의 눈이 급격히 커졌다. 그것은 흐느끼는 소리가 아니라 누군가 웃는 소리였다!!

"다.... 당신 누구야!"

인주의 물음에 잠시 차가운 침묵이 흐르고는 이내 전화가 툭 끊겼다.

7

택배를 든 도현이 경찰서 강력팀으로 들어섰고, 아무도 없는 것을 확인하고는 멀찍이 떨어진 책상을 향해 택배 상자를 던졌다. 택배 상자가 정확히 책상 위로 안착하자 도현은 나이스를 외치며 주먹을 불끈 쥐었다. 그때 도현의 등 뒤에서 형진의 음성이 들렸다.

"그래서 깨지겠냐?"
"현장 안 나가셨어요?"
"이삼일에 한 번씩 터지는 거로 모자라서?"

형진이 퀭한 도현의 얼굴을 물끄러미 쳐다봤다.

"현장은 네가 다녀온 거 같다?"
"말두 마세요. 형사님은 사건 없으면 퇴근이라도 하지. 우린 물건 다 돌릴 때까진 퇴근도 못 한다니까요!"
"중간에 오라 가라 하는 인간들도 많고?"
"그니까요. 택배만 지들 거지, 우리도 지들 건 줄 안다니까요!"

"대표적인 블랙컨슈머가 대명빌라 1103호고?"

도현이 놀란 표정으로 형진을 쳐다봤다.

"그렇게 유명해요? 형사님이 알 정도로?"
"그래서 알았겠냐? 누군가 팔았으니 알았겠지?"

도현이 난감한 표정을 지었다.

"그... 그게 아는 형사가 있다고 하면 그만할까 싶어서."
"그만하긴, 나까지 귀찮게 하던데?"
"……"
"너 그젠가 전화 안 받고 쌩깐적 있지? 바로 전화 왔더라. 너 잠수 탔으니 찾아달라고."

어찌할 바를 몰라하던 도현이 조 형사의 등장에 서둘러 밖으로 나갔다.

"주민 신고가 들어왔는데 현관 밖으로 피 같은 게 보인답니다."
"확실한데? 누가 장난치는 거 아니고?"

"글쎄요, 거기까지는."
"인근 치안센터에 전화해 확인부터 하라고 해!"
"예, 알겠습니다."

말이 끝나자 조형사는 어디론가 전화를 걸었다.

도로까지 나온 인주가 비를 흠뻑 맞으며 누군가와 통화를 하고 있었다.

"분명 비명소리가 났다니까요! 뜯고 들어갈 수 없으면 무사한지만 확인해주세요. 이봐요! 어떤 상탠지도 모르는데 무슨 본인 확인을 해요? 그놈의 원칙! 원칙! 원칙!"

인주는 말이 안 통한다는 듯 전화를 끊고는 장애인 콜택시 전용 앱을 켰다. 앱 안으로 수십 명의 실시간 대기자 수가 보이자 저절로 한숨이 터져 나왔다. 안 되겠는지 지나가는 택시를 향해 다급하게 손을 흔들어 보지만 휠체어에 앉아 있는 인주를 보고는 무시하듯 그냥 지나쳐갔다.

다급한 표정의 인주가 신호대기 중인 차량 사이를 비집고 들어갔다. 차량 사이를 횡단하는 휠체어의 등장에 운전자들 모두 놀라 쳐다만 볼뿐 별다른 움직임은 보이지 않았다.

신호가 바뀌자 하나둘 차량들이 출발하고 인주가 양팔을 벌려 택배차를 막아섰다. 그 택배차는 다름 아닌 도현의 차였고, 도현이 황당한 표정으로 고개를 쑥 내밀었다.

"뭡니까?"
"급해서 그러는데 좀 태워주세요!"

도현은 어이가 없었다.

"이게 택시로 보여요?"
"한가하게 이러고 있을 시간 없다고요!"
"거 말씀 참 요상하게 하시네. 그쪽 눈에 난 한가해 보입니까? 비켜요! 빨리!"

비키지 않자 옆 차선으로 이동하려는데 인주가 다시 쫓아와 가로막았다.

"근데 이 여자가...."
"사람 목숨이 달렸다고요! 제발..."
"......"

간절한 인주의 표정에 도현은 어찌할 바를 몰랐다.

전화를 받고 윤호가 도착한 곳은 대명빌라 806호 주희의 집이었다. 문이 열려 있자 조심스럽게 현관문 안으로 들어서던 윤호는 잠시 후 소리를 지르며 문을 빠져나왔다.
겁에 질린 듯 복도를 내달리는 윤호의 상의는 검붉은 피로 물들어 있었다.

대명빌라 엘리베이터 앞에 도착한 인주는 초조한 표정으로 엄지손톱을 물어뜯었다.
7층... 5층... 3층... 다급한 인주와 달리 엘리베이터는 너무나 더디게 내려왔다. 딩동- 소리와 함께 엘리베이터 문이 열리자 안에서 윤호가 튀어나왔고, 휠체어를 탄 인주와 강하게 부딪치며 쓰러졌다.
천천히 몸을 일으키는 인주가 윤호의 상태를 보고

는 놀라 입을 틀어막았다. 그때 조 형사의 연락을 받은 치안센터 경찰들이 빌라 안으로 들어섰고, 윤호의 상태를 빠르게 스캔하고는 삼단봉과 테이저건을 꺼내 들었다.

혼란스러워 보이는 윤호가 경찰들을 밀치며 빌라 밖으로 도망쳤고, 경찰들은 호루라기를 불며 윤호의 뒤를 쫓았다.

주차를 마친 후 뒤늦게 도착한 도현과 주희의 집에 도착한 인주는 그 자리에 얼어붙었다. 그도 그럴 것이 현관주위엔 다량의 피가 쏟아져 있었고, 듬성듬성 떨어져 있는 낙하흔과 충격 비산흔 등이 당시의 참상을 말해주고 있었기 때문이다.

인주가 빠르게 집안을 살피면, 벽과 문, 싱크대 서랍장 여기저기에 피 묻은 손바닥 자국들과 양말흔들이 보였다. 뭔가를 끌고 간 듯 뭉개져 있는 핏자국을 따라가자 주희가 모습을 드러냈고, 두 눈을 부릅뜬 채 죽어있는 주희를 보자 도현은 심장이 내려앉았다.

겁이 나는지 서둘러 나가려는 도현과 달리 인주는 휠체어를 굴리며 다가섰다.

가까스로 휠체어에서 쏟아져 나온 인주가 두 팔로

기다시피 주희에게 다가갔다. 싸늘하게 식은 주희
를 부둥켜안은 인주는 한참 동안 목놓아 오열했
다.

8

앰뷸런스와 경찰차에서 내뿜는 경광등 불빛에 주위가 대낮처럼 환해졌다. 등판에 과학수사라 적힌 조끼를 입은 사내들이 황급히 빌라 안으로 들어가고 있었고, 비옷을 입은 의경들은 경찰 통제선 안으로 들어오는 인근 주민들을 막느라 여념이 없었다. 분주히 움직이는 사람들 틈으로 보이는 인주는 황망한 표정으로 내리는 비를 고스란히 맞고 있었고, 도현은 자신의 택배차에서 우황청심환을 까먹으며 친구와 통화를 하고 있었다.

"말도 마라. 졸도하는 줄 알았다니까! 별 미친 여자가 차 앞으로 뛰어들 때부터 조짐이 안 좋더니만, 내 살다 살다 살해현장을 다 본다! 야, 가지 말고 기다려! 술이라도 진탕 먹어야지, 맨정신에 잠이나 자겠냐!"

전화를 끊은 도현이 웅성거리는 소리에 차 밖으로 나왔다. 치안센터 경찰들과 형사들이 사내의 얼굴을 아스팔트에 짓누르고는 팔을 뒤로 꺾어 수갑을 채우고 있었다. 도현이 다가서면 다름 아닌 윤호였다. 놀란 도현이 말을 걸기도 전에 대기하고 있던 경찰차 안으로 윤호를 구겨 넣었다.

참고인 조사차 경찰서를 찾은 인주가 조형사와 마주 앉아 있었고, 인주 옆으로 보이는 진술 녹화실 CCTV 화면엔 윤호가 괴로운 듯 머리를 감싸 쥐고 있었다.

"진짜 돌겠네. 부딪친 놈이 저놈 맞다면서요? 근데 뭐가 아니라는 겁니까?"

조형사는 답답하다는 듯 인주를 쳐다봤다.

"목소리…. 목소리가 다른 거 같아요."
"범인의 목소리를 직접 들었다는 겁니까?"
"목소리는 아니고… 범인이 웃는 소릴 들었어요."

조형사가 자신도 모르게 실소를 터뜨렸다.

"웃어요? 사람을 칼로 막 쑤시면서? 좀 전엔 지하철 지나가는 소리도 들었다면서요? 확인해봤는데 통화 당시 지하철 운행 기록이 없었답니다."

"그럴 리가 없어요. 분명 들었다고요!"

인주는 확신에 찬 목소리로 말했다. 조형사가 나지막이 한숨을 토해내는데 형진이 다가섰다.

"현관문 손잡이에서 나온 지문, 양말 흔 모두 장윤호 거라네. 몸에 지니고 있던 흉기에서도 혈흔 반응이 나왔고."

마치 인주에게 보여주기라도 하려는 듯 증거물 보관 팩에 담긴 맥가이버칼을 조형사에게 건넸다.

"백펀데요, 이 새끼."
"그 사람 아니라니까요!"

인주의 계속되는 항변에 형진은 차가운 표정으로 인주를 째려봤다.

"이봐요, 아가씨. 모든 접촉은 흔적을 남긴다는 말 들어봤어요? 현관 손잡이를 만졌으니 지문이 남은 거고 양말을 신은 채 피를 밟았으니 양말흔이 남은 거고 칼로 사람을 쑤셨으니 현장에 혈흔이 남은 거라고요. 이제 이해가 돼요?"

인주는 하고 싶은 말이 남아있었지만 꾹 눌러 참
았다.

"여기 택시 좀 잡아드리지?"

여경의 안내를 받으며 나가는 인주가 여전히 머리
를 감싸 쥐고 있는 화면 속 윤호를 물끄러미 쳐다
봤다.

도현의 택배차가 빠르게 경찰서 안으로 들어서는
있었고, 그 옆으로 장애인 전용 리프트 택시 기사
인 30대 중반의 필재가 인주가 탄 휠체어를 차
안으로 밀어 넣고 있었다. 차에서 내린 도현이 인
주를 발견하지 못했는지 경찰서 안으로 빠르게 달
려들어 갔다.
복도를 내달린 도현이 거친 숨을 몰아쉬며 강력팀
안으로 들어섰다. 아무도 없자 조 형사의 책상으
로 다가선 도현이 각종 서류들과, 사건 현장을 찍
은 사진들이 조심스럽게 살피는데 조 형사의 음성
이 들렸다.

"야, 택배, 너 거기서 뭐해!"
"좀 전에 잡혀 온 사람 있죠? 장 윤호라고?"

장 윤호라는 이름에 조형사는 흠칫 놀랐다.

"네가 대명빌라 살인 사건의 장 윤홀 어떻게 아
는데?"
"그... 그럼 806호 여잘 죽인 게 윤호라는 겁니
까?"
"묻는 말에나 대답해, 니가 그놈을 어떻게 아냐
고?"
"걘 아닙니다. 뭔가 잘못됐어요!"

조형사가 어처구니가 없다는 표정으로 도현을 쳐
다봤다.

"오늘 한 쌍의 바퀴벌레가 세트로 지랄하는 날이
냐?"
"지금 어디 있어요, 윤호?"
"알면 만날 수는 있고? 몰랐냐, 조사 중엔 가족도
면회가 안 된다는 거?"

그때 갑자기 웅성거리는 소리에 도현이 복도 쪽으로 시선을 옮기면, 여순경과 윤호 모가 실랑이를 벌이고 있었다. 다소 어눌한 말투로 울먹이며 매달리는 윤호 모를 보자 도현은 착잡하기만 했다.

"자식새끼가 사람을 죽였으면 나 죽었습니다, 하고 자빠져 있을 것이지 여기가 어디라고 행패야, 행패가. 말투는 또 왜 저래? 벙어린가?"

그 말을 들은 도현은 피가 거꾸로 솟았다.

"윤호가 죽인 거 아니라니까요! 벙어리 아니라 풍 맞아 그런 거고!"

도현이 바닥에 쓰러진 채 오열하는 윤호 모를 일으켜 세웠다. 도현의 손을 덥석 잡은 윤호 모는 어눌한 말투로 윤호를 좀 살려 달라 애원했다.

진술 녹화실에서 윤호와 마주한 형진은 심드렁한 표정으로 윤호를 쳐다봤다.

"내가 그제는 당직을 서고... 어제는 땜방을 서고...

오늘은 눈에 핏발이 선다."

형진은 윤호 가까이 얼굴을 들이밀고는 눈을 까뒤집었다.

"몇 번을 물어보셔도 전 아닙니다!"
"새끼야, 아니다 모른다 할 거면 그 옷이라도 좀 갈아입던가."

윤호는 피 묻은 자신의 옷을 쳐다보고는 탄식 같은 한숨을 내쉬었다.

"그 집에 간 것도 맞고 거기서 피가 묻은 것도 맞는데 제가 죽인 건 아니라니까요!"
"그럼 거긴 왜 간 건데? 확인해 보니 배송할 물건도 없었다던데?"

형진은 자신도 모르게 짜증 섞인 목소리가 튀어나왔다.

"그러니까, 그게...."

윤호가 회상에 잠기며 모임이 있던 호프집을 떠올렸다.

"제가 장 윤혼데 어디시죠? 아, 아까 그 차 차주분? 어디로 오라고요?"
그랬다, 윤호는 자신이 부순 백미러의 차주를 만나기 위해 대명빌라로 향했던 것이었다.
806호 도착한 윤호는 차주에게 전화를 걸었지만 받지를 않았고, 때마침 열려 있던 문 안으로 들어갔던 것이다.

칠흑 같은 어둠이 펼쳐진 실내로 들어간 윤호가 휴대폰을 꺼내 주위를 비췄다. 그때 뭔가를 밟은 듯 미끄러지며 앞으로 자빠졌고, 엷은 신음을 흘리던 윤호가 바닥을 비추면 시뻘건 피가 보였다.
조심스럽게 피를 따라가던 윤호가 피범벅이 된 채 죽어있는 주희와 마주했다. 눈을 뜬 채 죽은 주희의 안광(眼光)이 차갑게 번뜩이자, 비명을 지르며 미친 듯이 도망쳤고, 그때 경찰들과 조우를 했던 것이었다.

윤호의 얘기를 들은 형진은 어이없다는 듯 코웃음

을 쳤다.

"고작 그거냐? 지금껏 고민해 만들어낸 시나리오
가?"
"시나리오가 아니라 사실이라니까요."
"리얼리티가 떨어지면 디테일에 좀 신경을 쓰던
가, 디테일이 떨어지면 상상의 나래를 좀 더 펼쳐
보던가 하지 않고..."

자신의 말을 믿어주지 않는 형진의 모습에 윤호는
답답하기만 했다.

"일단 정리를 좀 해보자, 그러니까 너 말은 806호
에 침입한 어떤 놈이 남 주희를 죽였고, 너한테
덮어씌우려 일부러 부른 거다? 네가 꽂아 놓은
그 명함을 보고?"
"네. 그 번호를 확인해 보시면..."
"안 해봤겠냐?"

형진의 말에 윤호는 놀란 표정으로 쳐다봤다.

"대포폰이던데, 외국인 명의로 개통된!

명의잔 우즈베크로 출국한 지 한 달도 넘었고."

윤호는 목이 타는지 앞에 놓인 생수를 벌컥벌컥 들이켰다.

"그... 그럼 그 차주는요?"
"네가 말한 차주는 명함 같은 건 본적도 없단다. 블랙박스가 없어 자기 돈으로 수리까지 다 했다, 그리고."

윤호는 혼란스러운 듯 자신의 머리를 감싸 쥐었고, 형진은 그런 윤호 앞에 증거물 보관 백에 담긴 맥가이버칼을 툭 던졌다.

"배달하는 놈이 이딴 건 왜 갖고 다니는데?"
"가끔 나이 드신 분들이 노끈으로 고정된 박스를 풀어달라고 해서요."
"그래 그건 그렇다 쳐도 옷에 묻은 것과 여기 칼에 묻은 건 태생 자체가 다르다는 건 알지?"
"......"

윤호는 피 고인 바닥에 미끄러지며 잭나이프에 피

가 묻었음을 알고 있었지만 계속해서 항변할 수가 없었다.

<9>

장애인 전용 택시에 몸을 의지한 인주의 눈에 도심의 네온사인 불빛들이 빠르게 지나가고 있었다. 인주가 눈을 감자 눈 안 가득 고인 눈물이 주르륵 흘러내렸고, 라디오에서 주희의 사건 뉴스가 흘러나왔다. 괴로워하는 인주를 보자 기사인 필재는 라디오를 꺼주었고, 흐느끼는지 인주의 양어깨가 가늘게 들썩이자 실내등마저 꺼주었다.

취조를 마친 형진이 뒷목을 주무르며 경찰서를 나서면, 푸르스름한 새벽공기가 서서히 어둠을 밀어내고 있었다. 주머니에서 담배를 꺼내 물려는데 장승처럼 서 있는 도현이 보였다.

"밤새 여기 있었던 거냐? 가, 집에."
"진짜 확실한 겁니까? 뭔가 착오가 있다거나...."

도현의 말이 채 끝나기도 전에 형진은 고개를 가로저었다.

"믿을 수가 없어 그럽니다! 과속 딱지 몇 번 끊은

거 말고는 사고 한번 없던 놈인데...."

"그러니 우발적이라는 거지. 혈기 왕성한 나이에 젊은 여자를 보면 더욱 그럴 수 있고."

"그냥 둘 걸 그랬나 봐요. 너 하나 보고 사는 어머니 생각은 안 하냐, 제발 사람 구실 좀 하라며 끌어들인 게 바로 접니다!"

도현은 연신 자신의 머리를 쥐어박으며 자책했고, 이를 지켜보는 형진의 표정 또한 무겁게 가라앉았다.

의욕을 상실한 도현은 자신의 택배차에 널브러져 있었고, 그런 도현 옆으로 동료의 택배 차량이 영업소를 빠져나가고 있었다. 탄식 같은 한숨을 토해낼 뿐 도현은 전혀 움직일 생각에 없어 보였다. 그때 누군가 도현의 택배차 창문을 두드렸고, 다름 아닌 택배를 잘못 가져갔던 그 후배였다.

"누가 찾아왔는데요."

귀찮다는 듯 차 밖으로 머리를 내밀자, 휠체어에 앉아 있는 인주가 보였다.

도현과 인주는 다소 심각한 표정으로 택배 영업소 안에 앉아 있었고, 탁!탁!탁 키보드를 두드리던 여직원이 휠체어에 앉은 인주를 모니터 너머로 힐끔거리고 있었다.

"이거 그놈 짓 아닙니다."
"알아요. 그러니 이렇게 찾아온 거고."

인주의 말에 도현은 놀란 표정으로 쳐다봤다.

"뭔가 아는 게 있다는 겁니까? 담당 형사한테는 얘기했어요?"
"소용없어요. 그들은 눈에 보이는 것만 믿으려 하니까."
"배달 갔을 때만 해도 멀쩡했다고요!"
"그.... 그게 무슨? 설마 그때 화장실에 있던 사람이?"
"그... 그걸 어떻게? 그럼 그때 통화를 하고 있던 사람이?"

인주와 도현은 믿을 수 없다는 듯 서로를 쳐다봤다.

"그때 이상한 거 못 느꼈어요?"

"글쎄요!"

"잘 좀 생각해봐요! 놈이 집 안에 있었다고요!"

놀란 표정으로 인주를 쳐다보던 도현이 당시의 상황을 떠올렸다.

쏴아- 변기 물 내려가는 소리와 함께 나오던 도현이 주희와 눈이 마주치자 뻘쭘한지 주방 쪽으로 시선을 돌렸다. 그때 도현의 눈에 칼 블록세트가 보였고, 여러 개의 칼 중 하나가 사라지고 없었다.

"카.... 칼 하나가 없어졌어요. 화장실 가기 전엔 분명 있었는데 나올 때보니 하나가 없어졌어요!"

"확실해요?"

인주는 미덥지 않다는 표정으로 물었다. 그런 인주의 물음에 기분이 상했는지 도현은 자신만의 주특기인 빼어난 눈썰미를 선보였다.

"진한 베이지색 면바지, 가로줄이 들어간 스트라이프 티셔츠, 앞이 둥근 갈색 구두, 물방울무늬의

은색 귀걸이 맞죠? 어디에 떨어뜨렸는지 귀걸인 한쪽만 하고 있었고..."

도현의 말에 인주는 소스라치게 놀랐다. 그 이유는 인주가 처음 도현과 맞닥뜨렸을 때 입고 있거나 착용하고 있던 것들이기 때문이었다.

그 즉시 두 사람은 경찰서로 향했고, 조형사와 마주했다.

"그러니까 택배 네가 똥을 싸고 나올 때 없어진 흉기가 진짜다?"
"그렇다니까요."

조형사는 같잖다는 표정으로 도현을 쏘아보고는 새끼손가락으로 귀를 후벼팠다.

"진짜 똥 싸는 소리 하고 자빠졌네, 이게."
"진짜라니까요, 제발 한 번만 더 조살 해주세요."
"알았어, 알았으니 그만 가봐, 들."

조형사는 귀찮다는 듯 빨리 가라는 제스처를 취했

다.

"뭔가 미심쩍은 부분이 있다면 다시 조살 해봐야
하는 거 아닌가요?"
"이봐, 아가씨. 무슨 조살 어떻게 할까, 응? 장윤
호가 갖고 있던 칼과 죽은 남 주희의 몸에서 발견
된 자상이 일치하게 나왔고, 씨씨티브일 다 까봐
도 장 윤호 말고는 들어간 사람이 없는데..."
"그때 사라진 칼도 과도였다고요. 그래서 윤호의
것과 비슷하게 나온 거고."

도현이 힘주어 말했다.

"택배 네가 사라진 칼이 과돈 거까지 봤다고? 돌
겠네! 지난번 경찰서 왔을 때 몰래 본 거잖아? 감
식반이 찍은 사체 사진도 그때 봤고!"
"아닙니다, 그때 본 게 아니라고요."

도현은 억울했지만 달리 증명할 방법이 없었다.
하지만 이내 조형사가 그 방법을 찾아주었다.

"네가 그렇게 눈썰미가 좋다 그거지? 그때 봤던

남주희 사체 사진에서 자상이 몇 개였는지 말해 봐! 뭐해, 빨리 말해보라니까!"

갑작스러운 조 형사의 물음에 도현은 당시 상황을 떠올렸다.
"우측 목덜미 두 군데, 목젖 하단에 한군데, 좌측 가슴 밑으로 두 군데, 우측 옆구리에 한군데."

조형사는 같잖다는 듯 실소를 흘렸다.

"그래, 그렇게 막 던지면 두어 개는 맞겠지?"

자신감 충만한 표정으로 사진을 들여다보던 조 형 사의 얼굴은 순식간에 일그러졌고, 주희의 사체 사진 속 자상은 도현의 말과 정확히 일치했다.

"용케도 맞췄네! 그래서 그게 뭐... 택배 너 내 말 똑똑히 들어. 칼과 옷에서 나온 디엔에이(DNA)는 물론 지문, 양말흔 모두 장 윤호의 것으로 판명되었어. 장 윤호가 범인이라는 증거는 넘쳐나는 데 아니라는 증거는 단 하나도 없다는 말이야! 무슨 말인지 알아들어?"

조 형사의 말에 도현은 더 이상 반박할 수가 없었다.

"사건 당일 같은 층에 있던 사람들은 확인해 보셨어요?"

잠시 생각에 잠겼던 인주가 조형사에게 물었다.

"진짜 귀찮게 하네. 범행 당시 사람이 있던 집은 801호, 804호, 809호, 세 집이고 801호와 804호 모두 혐의없음으로 나왔어."
"그럼 809호는요?"
"거긴 치매 걸린 노인네가 산다, 됐냐?"
"주희 말로는 신음소리를 내면서 따라다니는 사람이 있다고 했어요."

조형사가 답답하다는 듯 길게 한숨을 토해냈다.

"망자(亡者)한테 이런 말 하긴 뭐하지만 스토커는 그 남자가 아니라 죽은 남주희였어. 신고도 여러 번 접수되었고...."

인주는 놀란 표정으로 조형사를 쳐다봤다.

"그럼 택배는요? 제가 갖다 준 택배가 있었는데..."

불현듯 자신이 전달한 택배가 생각났는지 도현이 물었다.

조형사는 성가시다는 듯 도현 앞에 사진 하나를 툭 던졌다. 사진에는 피가 잔뜩 밴 채 뜯겨 있는 택배박스와 그 옆으로 여성용 속옷이 어지럽게 흩어져 있었다.

10

식사시간이 지난 탓인지 경찰서 인근에 자리한 설렁탕집은 비교적 한산했다. 김이 모락모락 피어오르는 설렁탕에 밥을 말아 푹푹 떠먹고 있는 도현과 달리 인주는 숟가락조차 들지 않고 생각에 잠겨 있었다.

"좀 먹어요. 범인 잡기 전에 인주씨가 먼저 쓰러지겠네."
"우리가 잡을 수 있을까요?"

인주가 다소 불안한 표정으로 물었다.

"그러려고 이 지랄 하는 거 아닙니까. 걱정하지 말아요, 꼭 잡을 거니까."

하지만 도현 역시 확신이 없었다.

"자꾸 불길한 생각이 들어요."

인주를 빤히 쳐다보던 도현이 인주의 손에 숟가락

을 쥐어주었다.

"거봐요, 허기가지니 자꾸 나약한 생각만 들지."

도현의 배려에 인주는 설렁탕 한 숟가락을 입안에 밀어 넣었다.

"다 먹었으면 그만 가죠."
"어딜?"

도현이 궁금하다는 듯 묻지만 인주는 대답 없이 가게를 빠져나갔다.

그렇게 두 사람이 향한 곳은 다름 아닌 대명빌라였다. 긴장한 표정의 도현은 인주 몰래 우황청심환을 까 입안에 쑤셔 넣었다. 잠시 후 엘리베이터 문이 열리자 올라탔고, 문이 닫히려는 순간 갑자기 장바구니 하나가 쑥 들어왔다.

"아우 씨, 깜짝이야!"

닫혔던 문이 다시 열리자 문제의 1103호에 거주

하는 미숙이 모습을 드러냈다.

"너 명자 딸 인주 아니니?"
"아줌마, 여기 사세요?"

인주가 반색하며 물었다.

"엄마가 얘기 안 해? 이사 온 지 좀 됐는데? 택배도 있었네!! 둘이 무슨 사이?"
"아니에요, 그런 거."

손사래를 치는 인주를 보자 도현은 은근 기분이 나빴다.

"그렇지. 니가 뭐가 아쉬워서. 성격도 별론데 하체는 더 별로야! 조금만 걸어도 땀을 비 오듯 흘리고."
"아줌마! 그런 소리 처음 듣거든요, 제 별명이 에너자이저에요, 에너자이저!"

도현의 항변에도 미숙은 듣는 둥 마는 둥 했다.

"여긴 어쩐 일인데?"

미숙이 인주에게 물었다.

"실은 얼마 전 제 친구가 죽었거든요."

인주가 침울한 표정으로 말했다.

"친구? 설마 806호에 사는 아가씨?"
"아세요?"
"그럼 알다마다, 인사성도 밝고 얼마나 싹싹했는
데, 어쩌다 쯧쯧...."
"아줌마! 저 여기 온 거 엄마한텐 비밀로 해주세
요."
"별노무 소릴 다한다, 나도 그 정도 눈치는 있어,
애."

잠시 후 8층에 도착하자 엘리베이터 문이 열렸다.

"그럼 볼일들 보고 가. 난 여기만 오면 등줄기에
땀이 흘러서..."

인주와 도현이 내리자 미숙은 빠르게 닫힘 버튼을 눌렀다.

어느새 인주와 도현만 남았고, 길게 펼쳐진 복도가 유독 음산하게 보였다. 그렇게 두 사람은 809호로 향했고, 초인종을 눌러보지만 아무런 인기척이 없었다.

"아무도 없나 본데요."

"범인이 택밴 왜 뜯었을까요? 그런 급박한 상황에서..."

인주는 선뜻 이해가 되질 않는다는 듯 도현에게 물었다.

"글쎄요! 뭐가 들었나, 궁금했나 보죠, 뭐. 좀 기다려 볼까요?"

도현의 말에 인주는 주변을 살피기 시작했고, 복도 끝에서 자신을 노려보고 있는 돔 카메라를 발견했다.

"저 카메라도 조사했겠죠?"

인주의 물음에 도현은 다짜고짜 인주의 휠체어를 비상계단으로 이동시켰다.

"만일 놈이 외부에서 침입한 거라면 분명 여길 이용했을 겁니다."

확신에 찬 도현의 말에 인주가 물었다.

"여기가 유일한 사각지대라는 거죠?"
"그렇다고 봐야죠. 비상계단엔 씨씨티브이(CCTV)가 없으니까..."

도현은 비상계단과 복도 이곳저곳을 살피기 시작했다.

"계단으로 올라온 다음 복도 벽을 따라 이동했을 겁니다."

그때 인주가 비상계단을 내려다보다 움직이는 뭔가를 발견했다.

"저기 뭐가 있는 거 같은데요?"

인주의 말에 도현은 천천히 계단을 내려갔다.
그때 갑자기 튀어나오는 검은 물체에 도현은 기겁
하며 계단에 털썩 주저앉았다.

"상철이 오빠?"
한눈에도 팔십은 족히 돼 보이는 노파였다.

"뭐.... 뭐래, 이 할머니가."
"할머니, 809호 사시는 분 맞죠?"

계단 위에서 인주가 물었다.

"혹시 며칠 전 사건 났을 때 기억나는 거 없으세
요?"

인주가 재차 물었다.

"야, 이년아! 밥 줘!"

노파는 인주를 향해 앙칼진 목소리로 말했다.

"밥 달라고 이년아!! 쫄쫄 굶겨 죽일 참이냐?"

괜히 시간 낭비만 했다는 표정의 도현이 계단을
올라와 인주의 휠체어 방향을 틀었다.

"갑시다. 괜히 시간 낭비 말고."

비상계단을 빠져나가는 인주가 걱정스러운 표정으
로 돌아보면, 노파는 여전히 인주를 노려보고 있
었다.
인주와 도현은 폴리스 라인이 쳐 있는 806호로
향했다. 도현이 조심스럽게 폴리스 라인을 걷어내
자 인주가 현관문 번호키 비밀번호를 눌렀다. 하
지만 어찌 된 영문인지 계속해서 에러 음이 들렸
다.

"왜 안돼요?"
"번호가 바뀐 거 같은데요."

인주가 난감한 표정으로 말했다. 그때 도현은 비
밀번호를 누르던 주희의 모습을 떠올랐고, 번호를
누르자 띠리리릭 소리와 함께 출입문이 열렸다.

두 사람이 안으로 들어서자, 바닥에 떨어진 채 뒹

구는 스테인리스 주전자와 집기들이 어지럽게 흩어져 있고, 주희가 바르던 것으로 보이는 핑크색의 매니큐어가 엎어진 채 말라붙어있었다. 거실에 발을 내딛자 곳곳에 말라붙은 핏자국들이 그날의 참상을 다시금 떠올리게 했다. 피비린내가 역한지 코를 틀어막고 있는 도현과 달리 인주는 비통한 표정을 지었다.

"더 나올 게 있겠어요? 이미 경찰이 다 훑고 갔는데?"
"현장을 직접 봐야 보고 들은 걸 끼워 맞추죠."

인주의 말에 도현은 무릎을 '탁' 쳤다.

"그러니까 인주씨가 들은 것과 내가 본 걸 맞춰보자 그거죠? 일종의 시너지 효과 같은?"
"시너지가 될지 팀킬이 될지는 두고 봐야죠."

인주의 단호한 말투에 도현은 입언저리를 씰룩였다.

"놓친 부분이 없는지 다시 잘 생각해봐요."

"그러니까 내가 화장실에서 막 나왔을 때...."
도현이 다시 기억을 짜내면, 티브이에선 드라마가 한창이었고, 가스레인지 위에 올려놓은 스테인리스 주전자 뚜껑은 심하게 들썩이고 있었다. 소파에 앉아 있는 주희는 통화하며 손톱에 매니큐어를 바르고 있었고, 반쯤 열린 베란다 문을 통해 들어오는 바람에 커튼이 살랑이고 있었다. 순간 기억을 짜내던 도현의 눈이 급격히 커졌다. 살랑거리는 커튼 밖으로 검은 그림자가 얼핏 보였기 때문이었다.

"커튼 뒤에 누군가 있었어요."
"그래요? 또 다른 건요?"

인주의 물음에 도현은 다시 기억을 짜내지만 쉽지가 않았다.

"그게 워낙 짧은 순간이라... 아... 저기 저 방문도 반쯤 열려 있었어요."

도현이 손가락으로 주희의 방 맞은편에 있는 방을 가리켰다.

"화장실에 들어갈 땐 분명 닫혀 있었거든요."
"안에 누가 있는 거 같았나요?"
"아뇨."
"다시 잘 생각해봐요."

도현은 모르겠다는 듯 고개를 가로저었다.

"이제 제가 해볼게요"

인주는 말이 끝나기 무섭게 눈을 지그시 감았다. 집중을 하는지 눈썹이 가늘게 떨렸고, 귀 또한 미세하게 움직였다. 그러자 주희와 통화 당시 소리들이 환청처럼 들리기 시작했다. 티브이 드라마 소리가 주희의 목소리에 묻히듯 들렸고, 뒤이어 뿌직- 뭔가를 밟는 소리가 들렸다. 헉!헉!헉! 점점 거칠어지는 주희의 숨소리... 쿵 뭔가에 부딪히는 소리와 범인의 것으로 짐작되는 옅은 신음소리가 연이어 들렸다.

인주가 다시 집중하자 바닥으로 뭔가가 굴러떨어지며 뒹구는 소리와 범인의 욕설 섞인 비명소리가 들렸다. 하아- 인주가 참았던 숨을 토해내며 천천히 눈을 떴다. 거실을 쓱 한번 둘러보고는 휠체어를 현관 쪽으로 이동시켰다. 그러고는 자신이 들었던 것과 현재의 모습들이 매칭시키자 바로 옆에서 본 것처럼 영상이 펼쳐졌다.

서둘러 밖으로 나가려는 주희에게 커튼 뒤에 숨어 있던 검은 그림자가 빠르게 다가갔고, 놀란 주희가 바닥에 떨어져 있는 쿠션을 밟자 뿌직- 소리가 났던 것이었다. 검은 장갑이 거칠게 주희의 입을 틀어막았고, 호흡이 거칠어진 주희가 등 뒤에 있는 범인을 힘껏 밀어붙였다.

범인은 싱크대 모서리에 강하게 부딪혔고, 그 충격으로 가스레인지 위에서 끓고 있던 스테인리스 주전자가 떨어지며 범인의 발로 뜨거운 물이 쏟아졌던 것이었다. 소리와 영상이 맞아떨어지지 않는 부분이 있는지 인주는 다시금 눈을 감았다.

어딘가에 강하게 쾅 부딪히는 소리와 한껏 억눌린 주희의 신음소리... 퍽 무언가로 내리찍는 소리... 상당히 고통스러워하는 신음소리지만 주희의 것은 아니었다!
인주가 감은 눈을 뜨고 주위를 빠르게 살피자, 또

다시 당시의 영상들이 눈앞에 펼쳐졌다.

현관문에 강하게 부딪히는 주희가 한껏 억눌린 신음을 흘리며 일어섰고, 손을 짚을 때마다 피 묻은 손바닥 자국이 선명하게 찍혔다. 그러다 잠시 방심한 틈을 타 뭔가로 놈을 내리찍었고, 놈은 고통스러운 듯 신음을 토해냈다.

갑자기 휠체어에서 쏟아져 나온 인주가 바닥을 기어 다니며 뭔가를 찾기 시작했다.

"왜 그래요? 뭐가 있어요?"

도현의 물음에 아무런 답도 주지 않은 인주는 티브이 장식장 밑부터 소파 밑까지 꼼꼼하게 살폈다. 하지만 아무것도 보이지 않자 방향을 틀어 싱크대로 향했다. 싱크대 바닥부터 쭉 훑으며 올라오던 인주는 벽과 싱크대 사이에 끼어 있는 뭔가를 발견하고는 도현을 불렀다.

일회용 비닐장갑을 찾아 낀 도현이 그 물체를 꺼내자 일전에 인주가 주희에게 줬던 그 퀼트가위였다. 가위 끝에는 말라붙은 채 굳어 있는 피가 보였다.

"이제 됐어요!"

인주가 확신에 찬 표정으로 말했다.

늦은 시간 도현의 택배차가 인주의 아파트로 들어섰다. 택배차 짐칸에서 휠체어를 꺼낸 도현이 인주를 안아 휠체어에 앉혔다.

"오늘은 아무 생각 말고 푹 좀 자요."
"지금 바로 가자니까요!"

인주의 표정엔 조급함이 짙게 배어있었다.

"지금 간다고 김형사가 반기겠어요, 조형사가 반기겠어요? 그렇다고 국과수에서 바로 디엔에이(DNA) 검사를 해주는 것도 아니고."
"알겠어요, 그럼 내일 아침 일찍 가요."

인주는 가볍게 인사를 하고는 휠체어 바퀴를 굴렸

다. 하지만 더는 갈 수가 없었다. 104동 출입문
앞 계단이 인주를 가로막고 있었기 때문이었다.
이를 목격한 도현이 인주가 탄 휠체어를 계단 위
로 올려주었고, 멀찍이서 그런 두 사람을 뚫어져
라 쳐다보는 누군가의 시선이 보였다.

<11>

짜증 가득한 표정의 조형사는 들고 있던 수첩을 책상 위로 내던지고는 의자에 털썩 주저앉았다. 서랍을 열자 안으로 퀼트가위가 보이는 것으로 보아 이미 인주와 도현이 다녀갔음을 알 수 있었고, 그로 인해 열이 받아있음을 미루어 짐작할 수 있었다. 퀼트가위 옆에 있는 용각산을 꺼내 한 스푼 가득 떠 입안에 털어 넣는데 잘못 넘어갔는지 조형사가 연신 캑캑거렸다.

"그거 그만 퍼먹고 차라리 담뱃 끊어!"

조형사가 돌아보자 다름 아닌 형진이었다.

"계장님이 새로운 미션을 하사하셔서 끊고 싶어도 못 끊습니다."
"미션?"
"박 태일이 그 새끼 당장 잡아 오랍니다."
"감쪽같이 사라진 새낄 어디서?"
"제보가 들어왔답니다."

형진이 놀란 표정으로 조형사를 쳐다봤다.

"누구한테? 계장님한테? 그 새끼 중국으로 토꼈다고 안 했어?"
"알아봤는데 중국으로 밀항한 흔적이 없대요. 일산에서 봤다는 제보도 몇 곤 있었고."

잠시 생각에 잠기던 형진이 열린 서랍 사이로 보이는 퀼트가위를 집었다.

"취미 한번 앙증맞다?"
"조심히 다뤄요. 대명빌라 살인 사건의 진범 피가 묻어 있을지도 모르니..."
"그게 무슨 소리야?"

형진이 놀란 눈을 하고 묻자, 조형사는 실소를 터뜨렸다.

"어디서 썩은 가위 하날 가져와서는 진범의 피가 어쩌고, 디엔에이 조사가 어쩌고, 생떼를 쓰는데 미치고 팔짝 뛰는 줄 알았다니까요!"
"태일인 내가 찾아볼 테니 넌 대명빌라 사건이나

잘 마무리해!"

조형사는 기쁜 마음에 오버하듯 형진을 끌어안았
다.

"선배! 전 진짜 선배밖에 없어요!"
"이 새끼가 징그럽게 왜 이래?"

형진이 혐오스러운 벌레를 떼어내듯 밀쳤지만 그
럴수록 조형사는 더욱 매달렸다.

같은 시간 도현은 제법 굵게 내리는 장대비를 보
며 영업소 처마 밑에 서 있었고, 그 옆으로 동료
택배기사들이 커피를 마시고 있었다.

"오늘 클레임 엄청 나겠는데요?"

입사한 지 얼마 되지 않은 택배기사가 한숨을 내
쉬며 말했다.

"그러게 이런 날엔 박스에 코팅이라도 해줘야 하
는 거 아냐? 물건 젖었다고 난리도 아닐텐데."

선배 택배기사 또한 푸념 섞인 한마디를 내뱉었다.

"물건 땜에 우산은 못 쓰겠고 비옷이라도 입어야겠죠?"
"비옷 입는 택배 봤어?"
"그러고 보니 그러네요. 이유가 뭐죠?"
"하루에도 수백 번 탔다 내렸다 해야 하는데 그때마다 입었다 벗었다 하게?"

그제야 이유를 알았다는 듯 신참 택배기사가 고개를 끄덕였고, 옆에서 대화를 듣던 도현의 눈이 급격히 커졌다. 그 이유인즉, 살인 사건이 벌어지던 그 날 대명빌라에서 빗물이 뚝뚝 떨어지는 비옷을 입고 있던 택배기사를 봤기 때문이었다. 당시에는 이상하다고 생각지 못했지만 그놈이 범인임에 틀림없었다.

지배인을 찾아온 형진이 오피스텔 908호 문을 거칠게 두드렸다.

"안에 있는 거 아니까 존 말 할 때 열어라! 애들

- 80 -

불러서 따고 들어갈까?"

형진의 엄포에 문이 열렸고 지배인이 모습을 드러냈다.

"김 형사님이 이런 누추한 곳까지 어쩐 일이십니까?"

형진이 지배인을 밀치며 들어서면 상당히 고급스러워 보이는 실내가 쫙 펼쳐졌다.

"이게 누추하면 난 노숙자냐?"

그때 여러 개로 구획된 방에서 여자들의 신음소리가 쉴 새 없이 흘러나왔다.

"지금 뭐 하는 거? VIP 관리하는 거?"
"고객이 만족할 때까지가 제 모토 아닙니까?"
"그게 지금 형사한테 날릴 멘트냐?"
"불법을 합법화하는 게 또 우리 김 형사님 매력 아닙니까? 보내드린 건 잘 받으셨죠?"
"식사나 하라고 해서 기델 했더니 진짜 밥값만

보냈더라?"

"큰 거 두 장인데 적어요? 대체 식사를 얼마나
하시려고?"

지배인의 말에 형진은 양미간을 좁혔다.

"어떻게 매장장부 까서 경찰청 홈피에 띄워줄
까?"

"그러게 필요한 액수를 말 하시래도..."

"그럼 내가 꼭 양아치 같잖아, 돈만 들입다 밝히
는 거 같고...."

지배인은 어이없다는 듯 형진을 쳐다봤다.

"그 얘긴 차차 하기로 하고 박 태일이 봤다는 새
끼가 누구야?"

"그게... 이점 영 이점 영을 자랑하던 종태가..."

"그 새끼 지금 어딨어?"

"저도 모르죠. 또 어디서 썰 풀면서 약이나 팔고
있겠죠."

"너 되도 않는 짱구 굴리다 엮이지 말고 안테나
바짝 세우고 있다 그 새끼 소식 들리면 연락해."

"저랑 공조를 하자 뭐 그런 말입니까?"

지배인이 반색하며 물었다.

"공조 같은 소리 하고 자빠졌다. 양아치 주제에.
그리고 제발 방음 좀 해라, 방음 좀...."
"그걸 왜 합니까, 다들 저 소리에 뻑이가는데."

형진이 어이없다는 듯 지배인을 째려보고는 이내
사려졌고, 형진이 사라지자 어디론가 전화를 거는
지배인의 표정이 좀 전과 달리 싸늘하게 변했다.

비옷 입은 택배기사의 흔적을 찾기 위해 대명빌라
를 찾은 도현은 복잡한 표정으로 계단을 올랐다.
비옷 입은 택배기사를 봤던 계단에 멈춰서고는 아
래를 내려다봤다. 도현이 다시 계단을 올라가는데
위에서 남색의 후드 티를 입은 사내가 내려왔다.
사내는 도현을 의식한 듯 티에 달린 모자를 고쳐
쓰고는 계단을 빠르게 내려갔다. 뭔가 미심쩍은
듯 후드 티를 돌아보는데 갑자기 치매 노인이 툭
튀어나왔다.

"아우 씨- 깜짝이야! 뭡니까? 또 밥이 없어요?"
"미친놈! 누가 밥 달래? 저놈이야! 내가 봤어!"
노파가 손가락으로 후드 티를 가리켰다.

"네, 네. 저도 지금 봤습니다."
"야, 이 미친놈아! 그때도 왔었다니까. 그 여자가
죽던 날에도...."
"......"

놀란 도현이 아래를 내려다보면 후드 티 또한 멈
춰서서 도현을 쳐다보고 있었다. 정지된 화면처럼
서로를 쳐다보다 후드 티가 먼저 도망치듯 계단을
뛰어 내려갔고, 도현이 빠르게 후드 티의 뒤를 쫓
았다.

빌라 출입문을 박차며 나오는 도현이 내리는 비를
손으로 막으며 후드 티의 위치를 찾았다. 주택가
쪽으로 빠르게 도망치는 후드 티를 발견하고는 빠
르게 뒤쫓았다.

도현은 오가는 사람이 거의 없는 주택가를 힘껏
내달렸다. 한참을 내달리다 멈춰서면 집집마다 내

놓은 쓰레기들과 수거 스티커가 붙어있는 폐가구들만 보일 뿐 후드 티의 모습은 어디에서도 보이질 않았다. 주택 옆으로 길게 주차된 차량들을 살피는데 폐가구 뒤에서 후드 티가 툭 튀어나왔다. 도현은 빠르게 도망치는 후드 티를 다시금 쫓았다. 가쁜 숨을 몰아쉬던 도현이 주위를 살피면, 후드 티가 거미줄처럼 연결된 골목 안으로 빠르게 사라지는 게 보였다. 도현 역시 빠르게 골목 안으로 들어섰고, 양옆으로 펼쳐진 주택들을 순차적으로 살피며 걷기 시작했다. 그때 도현이 지나쳐간 대문 안에서 후드 티가 모습을 드러냈고, 계단 옆에 놓인 황토색 화분을 집어 도현의 뒤통수를 강하게 후려쳤다. 황토색 화분이 퍽 소리를 내며 깨졌고, 도현은 외마디 비명을 지르며 쓰러졌다. 도현의 머리 위로 쏟아져 내리는 빗물이 어느새 시뻘건 핏물로 변했다.

다시금 정신을 차린 도현이 후드 티를 쫓았고, 골목 하나를 사이에 둔 채 대치하기에 이르렀다. 두 사람 사이에 팽팽한 긴장감이 흘렀고, 또다시 도망치려는 후드 티를 도현이 막다른 골목으로 몰았다. 가로막힌 벽을 보자 후드 티는 당황하기 시작했다.

"여기가 내 나와 바린 건 몰랐을 거다."

도현이 의기양양한 표정으로 말했다. 포기를 모르는 후드 티가 막힌 벽을 기어오르려 안간힘을 썼고, 도현이 그런 후드 티의 뒷덜미를 잡아 바닥으로 자빠뜨렸다. 으악- 외마디 비명을 지르며 쓰러지는 후드 티의 비명소리가 어딘가 이상했다. 도현이 후드 티의 모자를 벗기자 감춰두었던 긴 머리카락이 모자 밖으로 툭 떨어졌다.

<12>

휠체어를 탄 인주가 커피전문점으로 들어서자, 도현과 후드 티의 지수가 앉아 있는 게 보였다. 인주는 휠체어 바퀴를 굴러 두 사람에게 향했다.

"이거 보입니까?"

도현은 지수 앞에 상처 난 자신의 머리를 들이밀며 말했다.

"죄송해요. 아까 그 할머니가 그쪽이 범인이라고 해서."
"우와-노망난 노인네가 사람을 잡네, 잡아!"
"할 얘기가 있다면서요?"

인주가 지수를 보며 다급하게 물었고, 지수는 떨리는 손으로 커피잔을 들어 커피 한 모금을 삼켰다.

"사실 주휘 회살 그만두고 싶어 그만둔 게 아니었어요."

"네? 그게 무슨?"

인주가 놀란 표정으로 물었다.

"몰래 고객 정보를 빼내다 걸려서 그만...."
"주희씨가 고객 정보를 빼내요?"

이번엔 도현이 물었다.

"형사 말로는 주희가 누굴 쫓아다녔다고 하던데
사실인가요?"
"네, 집요하리만큼 쫓아다녔죠. 죽여 버린다는 협
박을 받으면서까지..."
"대체 주희가 왜?"
"거기까진 저도 잘 몰라요."

지수는 가방 안에서 전화번호가 적힌 쪽지를 꺼내
인주에게 내밀었다.

"주희가 쫓던 번호에요."

휴대폰번호가 적힌 쪽지를 보던 인주와 도현은 소

스라치게 놀랐다. 그 번호는 다름 아닌 윤호에게 걸려왔던 번호였기 때문이었다.

"이 번호 말고 다른 건 없나요?"

도현이 다소 격앙된 목소리로 물었다.

"주희가 맡겨놓은 물건이 있었어요. 며칠 전 택배로 주희한테 보냈고."
"그 택배라면 이미 도착했어요. 그 안엔 속옷이 들어있었고."

인주의 말에 지수는 상당히 혼란스러워했다.

"속옷이요? 그럴 리가 없는데... 중요한 물건이라고 했거든요."
"그렇게 중요한 걸 택배로 보냈어요?"

인주는 선뜻 이해하기 어렵다는 듯 물었다.

"워낙 치대는 인간들이 많아서요. 다른 직장을 구하다 보니 지방까지 내려가게 됐고요. 그래서 하는 수 없이 택배로 보냈던 건데…"
"언제 보냈죠?"

이번엔 도현이 물었다.

"삼일쯤 됐어요."
"삼일이면 얼추 맞는 것도 같은데."
도현의 말에 지수는 고개를 가로저었다.

"그렇다면 굳이 저한테 맡길 이유가 없었겠죠."

지수는 계속해서 강하게 부정했다.

수사과장실을 찾은 형진은 미니 골프 퍼팅기로 퍼
팅 연습을 하고 있는 수사과장을 물끄러미 쳐다봤
다. 수사과장이 퍼팅한 공이 홀컵 근처에서 또로
록 미끄러져 내려오자 양미간을 좁혔다.

"왜? 뭐가 잘 안 돼?"

수사과장이 건조한 표정으로 물었다.

"아닙니다. 별문제 없습니다."

수사과장은 형진을 힐끔 쳐다보고는 다시 퍼팅 자세를 잡았다.

"문제가 많다는 얼굴인데?"
"……"
"원래 생각이 많으면 고민이 깊어지고 고민이 깊어지면 일을 망치기 마련이지."
"아.... 아닙니다, 그런 거."

다시 퍼팅한 수사과장의 공이 언덕을 지나 홀컵 안으로 빨려 들어가자 형진이 쓴 미소를 지었다.

현관문을 열고 들어가는 인주가 계속해서 지수의 말을 되뇌었다. 조심스럽게 휠체어를 밀며 들어가는데 인주 모가 거실에 떡하니 버티고 있었다.

"니 요즘 뭐하고 댕기는데?"
"어? 그냥 일이 좀 있어서..."
"택밴가 뭔가허고 쿵짝이 맞아가 다닌다 카든데?"

방으로 들어가려던 인주가 그 자리에 멈춰 섰다.

"미숙이 아줌마가 그래?"
"죽은 사람한테 대고 이런 말 하기는 모하지만서도 따지고 보믄 니를 이래 만든 기 그 가스나 아니가?"
"엄만 무슨 말을 그렇게 해! 잘 알지도 못하면서!"

인주는 자신도 모르게 짜증 섞인 말을 내뱉었다.

"음마가 모르긴 몰 모르노, 콘돈지 팬션인가로 니를 불러 내가 그른 거 아이가?"
"그건 그냥 사고였어. 주희 잘못이 아니었다고. 이제껏 그런 생각으로 주휠 대했던 거야? 그래?"
" ......"

인주는 화가 나는지 문을 쾅 닫고 들어갔고, 인주모는 그런 인주를 걱정스럽게 바라봤다.

침대에 누워있는 도현 또한 계속해서 뒤척이며 지수의 말을 되뇌었다. 머리맡에 놓인 스탠드를 켜고는 쪽지에 적힌 전화번호를 물끄러미 쳐다봤다. 순간 뭔가가 떠오른 듯 몸을 벌떡 일으키고는 인주에게 전화를 걸었다.

"인주씨! 제가 배달한 택배 말고 또 다른 택배가 있다면요?"

이른 아침부터 인근 주민 사람들이 대명빌라 앞에 모여 웅성거리고 있었다. 잠시 후 차량 한 대가 도착했고, 수갑을 찬 채 모자를 눌러 쓴 윤호가 내렸다. 윤호의 손에 모형 칼이 들려있는 것으로 보아 현장검증을 하려는 것이 분명해 보였다. 윤호가 형사들에 의해 빌라 안으로 들어서자 기자들의 카메라 플래시가 산발적으로 터졌다. 그런 기자들의 모습에 윤호는 당황한 기색이 역력했다.

그때 윤호를 향해 날달걀이 날아들었고, "저런 개만도 못한 새끼" "모자 벗어, 이 새끼야!" 등의 거친 말들도 날아들었다. 갑작스러운 주민들의 행동에 의경들은 일사불란하게 움직이며 주민들을 막아섰다. 이때 누군가의 손이 윤호의 모자를 빠르게 낚아챘다. 당혹감에 어쩔 줄 몰라 하는 윤호가 수갑 찬 손으로 얼굴을 가리며 그 자리에 털썩 주저앉았다. 그런 윤호를 형진과 조형사가 재빨리 일으켜 세우고는 미리 잡아놓은 엘리베이터에 올라탔다.

윤호의 양팔을 하나씩 부여잡은 형진과 조형사가

사건이 발생한 806호 문을 열고 안으로 들어갔다. 그때 갑자기 치매 노인이 튀어나왔고, 갑작스러운 노파의 등장에 형진과 조형사 모두 놀라 움찔했다.

"뭡니까?"

조형사의 물음에 노파는 차갑게 쏘아보고는 검은 봉지에 든 밥과 반찬을 입안에 쑤셔 넣었다.
"또 뭐 훔쳐 먹으러 들어갔었나 보네."

인근 주민으로 보이는 남자가 조형사를 보며 말했다.

"이런 일이 자주 있어요?"

형진이 남자에게 물었다.

"자주 있는 편이죠. 지난번엔 우리 집에도 들어왔었고...."
"비밀번호를 모를 텐데, 어떻게?"
"정신이 오락가락해도 한번 본 번호는 기가 막히

게 외우더라고요!"

형진이 노파를 빤히 쳐다봤고, 노파 또한 형진을
빤히 쳐다봤다.

"그때 봤던 그놈이네."
"……"
"이놈이 죽였어. 이놈이 죽였다니까!"

노파가 사람들을 향해 소리쳤다.

"이 노친네가 미쳤나?"

조형사는 어이없다는 듯 실소를 흘렸다.

"어디 사는 노친네야?"

형진이 냉랭한 말투로 물었다.

"809호 사는데 완전 맛이 갔답니다."
"멍청한 놈들! 니들이 그러고도 경찰이야?"

노파는 조형사를 나무라듯 말했다.

"할머니 여기서 이러시면 안 됩니다! 지금 공무 수행 중이라고요!"
"진짜야, 내가 진짜 봤대도!"

노파는 믿어달라는 표정으로 조형사의 팔을 덥석 잡았다.

"대체 뭘 봤다는 건데요, 예?"

조형사를 빤히 쳐다보던 노파는 갑자기 울먹이기 시작했다.

"엊그제 집 나간 우리 엄마."

조형사는 짜증이 나는지 자신의 머리를 마구 헝클였다.

"오늘 일진이 왜 이러냐, 정말."

그때 먼발치에서 그들을 주시하고 있는 인주와 도

현이 보였다.

"인주씨! 그만 가죠."
"어딜요?"

도현은 말없이 인주의 휠체어를 밀었다.

인주를 태운 도현의 택배차가 뻥 뚫린 고속도로를
시원스럽게 달리고 있었다.

"대체 어딜 가는 건데요?"

인주가 궁금하다는 듯 물었다.

"택배계의 버뮤다, 택배계의 블랙홀로 불리는 곳
이요."

선뜻 이해가 되질 않는다는 표정의 인주가 창밖으
로 시선을 옮겼고, 보은, 옥천 100킬로미터라 적
힌 도로 표지판이 빠르게 휙 지나갔다.

두 시간여를 달린 도현의 택배차가 옥천 허브 터

미널로 들어섰다. 자동분류기를 통과한 택배들이 매립장을 연상케 할 만큼 쌓여 있자 인주는 입이 떡 벌어졌다.

"택배 물량의 60%가 이곳을 거쳐 나가죠."
"그 물건이 아직 있을까요?"
"그러길 기도해 봐야죠."

도현이 분류작업이 한창인 직원에게 무언가를 묻자 손가락으로 방향을 알려준다.

인주의 휠체어를 밀며 직원이 알려준 곳으로 향하자 일렬로 서 있는 수십 대의 대형트럭들이 보였다. 하나같이 비상하듯 양 날개를 펼친 채 상차 대기를 하고 있었고, 직원들이 롤카(대형카트)에 수북하게 쌓인 택배들을 확인하고는 상차 작업을 하기 시작했다. 도현이 직원들에게 자초지종을 설명하고는 도움을 받아 택배 일부를 확인했지만 도저히 찾을 수가 없었다.

"아무래도 힘들 거 같은데요."

도현이 미안함 가득한 표정으로 말했다.

"도현씨 잘못이 아닌데요, 뭐."
"여기도 아니면 대체 어디로 갔을까요?"

잠시 생각에 잠기던 도현이 뭔가가 떠오른 듯
어딘가로 전화를 걸었다.

"받아라, 제발."

하지만 도현의 기대와는 달리 전화를 받지 않았
다.

"누구한테 거는 건데요?"

궁금하다는 듯 인주가 물었다.

"같은 회사에 있는 후배한테요."
"갑자기 후배한테는 왜?"
"일단 출발하죠."

도현이 인주의 휠체어를 밀며 자신의 차로 향했

다.

그 시간 미숙의 현관 앞은 이웃 주민들로 북적였고, 하나같이 큼지막한 박스를 끌어안고는 분주히 사라졌다.

"우리 집이 물류센터야, 뭐야!"

미숙이 짜증 섞인 한마디를 내뱉자, 이웃으로 보이는 여자가 화장품 하나를 내밀었다.

"이게 이번에 새로 나온 건데 팔자주름 펴는 덴 직빵이라네."

화장품을 받은 미숙의 표정이 어딘가 탐탁지 않았다.

"지난번처럼 아침에 눈 안 떠지는 거 아니지?"
"석고 팩을 하고 자는데 그럼 그게 떠져?"
"……"
"집에 소주 있지? 이따 몇 병들고 건너와."
"왜? 좋은 안주라도 있어?"

미숙이 반색하며 물었다.

"일단 와보기나 하셔. 무엇을 기대하든 그 이상일 테니...."

밀물 빠지듯 주민들이 빠지자 주인 잃은 하나의 택배가 덩그러니 남아있었다.

택배차에 올라탄 도현이 시동을 걸고 출발하려는 데 후배에게서 전화가 걸려왔다.

"왜 이렇게 전활 안 받아? 너 지난번 물건 잘못 가져갔을 때 대명빌라 806호거 또 없었어?"
"예? 갑자기 그건 왜?"

후배가 잔뜩 긴장한 목소리로 물었다.

"있었어? 없었어? 똑바로 말 안 하면 죽는다!"
"그... 그러니까, 그게... 있기는 있었는데...."
"됐고, 어디 있는지만 말해!"

마지막 남은 택배를 확인하던 미숙은 남 주희라는 이름을 보고는 소스라치게 놀랐다. 부들부들 떨리는 손으로 도현에게 전화를 걸어보지만 계속해서 통화 중이었다. 난감한 표정으로 어찌할 바를 몰라하는데, 지난번 형진이 놓고 간 명함이 보였다. 미숙이 형진에게 전화를 걸지만 형진 역시 통화 중이었다.

같은 시간 형진은 경찰서 주차장에서 지배인과 통화를 하고 있었다.

"그래서? 여태 남 종태 위치를 파악하지 못했다고? 사업하느라 나 몰라라 한 건 아니고?"
"아닙니다! 아시잖아요, 제 성격."

지배인은 다소 억울하다는 듯 말했다.

"정확히 24시간 준다! 그때까지 처리 못 하면 알지?"

형진이 전화를 끊는데 진동 소리를 내며 휴대전화가 울렸다.

속도를 높이고 있는 도현이 부재중 전화를 보고는 다급한 표정으로 미숙에게 전화를 걸지만 통화 중이었다. 재차 전화를 걸자 신호음이 들렸지만 받지를 않았다.

"왜 안 받아요?"

인주의 물음에 도현은 고개를 끄덕이고는 차선을 변경하며 더욱 속도를 높였다. 그렇게 한참을 달리는데 사고가 난 듯 마구 뒤엉켜 있는 차량들이 도현의 시야에 들어왔다. 여러 대의 견인차들이 사이렌을 울리며 도현의 차 옆을 지나가자, 난감한 표정을 짓던 도현이 상황 파악을 하기 위해 차에서 내렸다. 차 안에 있던 인주가 사고현장으로 걸어가는 도현을 쳐다보는데 휴대전화가 울렸다. 액정에 미숙의 번호가 뜨자 인주는 재빨리 받았다.

"아줌마, 왜 이렇게 전활 안 받으세요?"

하지만 아무런 말이 없었다.

"아줌마.....?"

그때 전화기 너머로 낯익은 흐느낌이 전해졌다. 그 흐느낌은 주희가 살해되던 때 들었던 그 소리였다!

"다... 당신이지? 주희를 죽인 게?"

잠시 침묵이 흐르더니 이내 전화가 툭 끊겼다. 밖으로 나갔던 도현이 다시 운전석에 올랐다.

"아무래도 시간이 좀 걸리겠는데요."
"아줌마가..... 아줌마가....."
"아줌마요? 어떤 아줌마요?"

인주는 휴대폰을 꽉 움켜쥔 채 부들부들 떨기만 할 뿐 더 이상 말을 잇지 못했다.

미숙의 집 거실에 뜯긴 주희의 택배 박스가 보였고, 그 안으로 핏물이 빠르게 스며들고 있었다. 그 옆으로 보이는 미숙은 피범벅이 된 채 연신 가쁜 숨을 몰아쉬었다. 미숙 앞에 쪼그리고 앉아 차갑게 웃는 남자는 다름 아닌 형진이었다! 살려달라고 애원하는 미숙의 입에서 울컥울컥 피가 쏟아져 나왔다.

"그러게 이 아줌마야, 왜 남의 물건에 함부로 손을 대고 그래?"
"사... 살려...주세요..."

형진은 감정이 탈수된 표정으로 미숙을 쳐다봤다.

"아줌마가 뭘 잘못했는데?"
"함부로.... 남의.... 택배에... 손댄 거..."
"아니 틀렸어. 아무한테도 알리지 않은 거... 그래서 당신이 죽는 거고..."
".......!"

형진이 피 묻을 칼을 허공 위로 치켜 올리는데, 인기척을 느꼈는지 빠르게 고개를 휙 돌렸다.

가까스로 사고현장이 수습되었고, 경광봉을 든 경찰들의 지시에 따라 도현의 택배차를 비롯한 차량들이 하나둘 현장을 빠져나갔다.

여전히 불안한 인주는 계속해서 미숙에게 전화를 걸었다.

"안 받아요?"

도현의 물음에 인주는 고개를 끄덕였다.

"별일 없을 테니 너무 걱정 말아요."
"그때 주희집에 갔을 때 티브이가 켜져 있었다고 했죠?"
"드라마를 보고 있던 거 같았는데, 왜요?"

인주는 휴대전화 뒤적여 주희와 통화한 시간대 방송되었던 드라마를 찾기 시작했다. 어렵지 않게 드라마를 찾은 인주는 다시 보기로 드라마를 재생시켰다. 천천히 드라마를 돌려보던 인주는 소스라치게 놀랐다. 인주가 들었던 그 지하철 소리는 다름 아닌 드라마 속 소리였기 때문이었다. 다시 뭔가가 떠오른 인주가 드라마를 빠르게 앞으로 돌렸다.

피를 울컥울컥 쏟아내고 있는 미숙을 뒤로 한 채

형진은 베란다로 향했다. 베란다 커튼을 확 젖히면 열린 창문으로 웅웅- 거리는 바람 소리만 들릴 뿐 아무도 없었다. 열린 창문을 탁 닫고 돌아서는데 또다시 이상한 소리가 들렸다. 천천히 소리 나는 방향으로 향하자, 오래돼 보이는 세탁기가 요란한 소리를 내며 탈수를 하고 있었다.

휴대전화 속 드라마를 뚫어져라 쳐다보던 인주와 도현이 경악스러운 표정을 지었다. 그 이유는 드라마 안에서 치매 걸린 시어머니가 며느리에게 면박을 주는 장면이 나왔기 때문이었다.

"야, 이년아! 밥 줘!! 밥 달라고 이년아! 쫄쫄 굶겨 죽일 참이냐?"

드라마 속 대사는 일전에 치매 걸린 노인이 인주에게 내뱉은 말과 정확히 일치했다. 그 말은 노인이 주희와 같은 드라마를 봤거나 아니면 현장에 있었다는 말이었다.

형진이 세탁기의 정지 버튼을 누르고 돌아서는데 바닥에 일정한 간격으로 떨어져 있는 음식물들이 보였다. 떨어진 음식물들을 따라가자 수북하게 쌓여 있는 빈 박스들이 보였다. 형진이 박스를 걷어내자 치매 노인이 모습을 드러냈고, 겁에 질린 듯 음식물이 담긴 검은 봉지를 끌어안았다.

"헛소리가 아니었네? 그때 날 봤다는 게?"

치매 노인은 고개를 가로저으며 앉은 채로 뒷걸음질 치기 시작했다. 도망치는 노인을 비릿하게 쳐다보던 형진은 박스 옆에 놓인 소주병을 집어 들었다. 벽에 막혀 더 이상 움직일 수 없는 노인을 쳐다보고는 소주병으로 노인의 머리를 사정없이 내리쳤다. 퍽- 소리와 함께 소주병이 사방으로 비산하며 깨졌고, 모로 쓰러진 노인의 머리에선 검붉은 피가 뿜어져 나왔다. 베란다 바닥을 꿈틀대며 기어가던 피가 어느새 흰색의 타일을 집어삼켰다. 아직 숨이 붙어있자 형진이 또 다른 소주병을 집어 드는데 미숙이 보이지 않았다. 기어나간 듯 반쯤 열린 현관문 너머로 미숙의 피가 뭉개져 있는 게 보였다.

"씨발!"

형진은 짜증 섞인 욕설을 내뱉었다.

뒤늦게 대명빌라에 도착한 인주와 도현은 경찰 통제선 안으로 보이는 참혹한 사건 현장과 마주했다.
잠시 후 119대원들이 머리에 피를 흘리며 고통스러워하는 치매 노인을 부축하며 계단을 내려왔다.

"할머니 괜찮으세요?"

인주가 걱정스러운 표정으로 물었지만, 치매 노인은 제정신이 아니었다. 그때 다가서는 형진을 보자 치매 노인은 부들거리며 떨기 시작했다.

"할머니 이제 안심하셔도 됩니다. 우리 할머니 많이 추우신가 보네."

형진은 너무나 뻔뻔한 얼굴로 자신의 옷을 벗어 치매 노인에게 입혀주었다. 치매 노인이 구급차에 몸을 싣자, 형진은 태연하게 사건 현장을 진두지휘했다.

<14>

중환자실에 누워있는 미숙은 의식이 없는 상태로 산소호흡기를 물고 있었고, 그 옆으로 인주 모와 친구들이 안타까운 표정으로 미숙을 지켜보고 있었다. 심장박동과 동맥혈압, 산소포화도를 나타내는 모니터 수치가 급격히 떨어지며 삑삑-소리를 내자 인주 모가 다급하게 간호사를 불렀다.

같은 시간 대명빌라 밖에 대기하고 있던 조형사는 인주가 내민 휴대폰 속 미숙의 번호를 보고는 심드렁한 표정을 지었다.

"그러니까 남 주희를 죽인 범인이 이번엔 양 미숙씨를 죽이려 했다?"
"분명히 들었어요, 그때 그 웃음소리를."

인주는 확신에 찬 표정으로 말했다.

"돌겠네. 놈이 웃으면서 뭐라는데? 자기가 양미숙씰 죽이고 있다 그래?"
"......"

"그냥 장난 전화잖아. 요즘 발신 번호 조작하는 건 일도 아니고..."
"장난 아닙니다. 택배 안에 분명 뭔가 있었다고요!"

답답한지 이번엔 도현이 나섰다.

"택배! 너까지 감염됐어? 택밴 뭔 놈의 택배가 있었다고!"

도현이 놀란 표정으로 조형사를 쳐다봤다.

"양미숙씨 집에 없었다는 말인가요? 그럼 놈이 가져간 게 틀림없어요!"

인주의 말에 조형사는 길게 한숨을 내쉬었다.

"남주희씨 물건이 여기 있다는 걸 어떻게 알고? 누가 알려주기라도 했대?"
"그.... 그건."

인주는 조형사의 물음에 답을 할 수 없었다.

"아줌마 휴대폰 어디 있죠?"

도현이 조형사에게 묻자, 어느새 다가선 형진이 미숙의 휴대전화를 내밀었다.

"왜 범인과 통화라도 했을까 봐? 이런 얘기까지는 안 하려고 했는데 둘 다 치료가 필요한 거 아냐?"
"분명 들었다니까요."

인주가 분노어린 목소리로 말했다. 형진이 그런 인주 앞에 병원 기록이 담긴 서류와 약병 하나를 내밀었다.

"조현병을 앓은 적이 있지? 항우울제인 렉사프로도 처방받은 적이 있고? 물론 아직 완치 판정은 못 받은 상태고?"
"……!"

형진의 말에 놀란 도현이 인주를 쳐다봤다. 무슨 변명이라도 해주길 바라는 눈치였지만 인주는 끝내 아무 말도 하지 않았다. 형진이 내민 서류를 조형사가 낚아챘다.

"며칠 전 등촌동 호프집 살인 사건도 조현병 때문이라던데... 환각, 환청은 물론이고 망상장애까지 심하다 그러고."

조형사는 계속해서 서류를 넘겼다.

"입원 기록에 자해기록까지... 아주 스페셜하시네!"
"그... 그건 사고로 인한 외상 후 스트레스성 장애 때문에...."

인주가 어렵게 입을 열자 형진이 막아섰다.

"그러니 치료가 필요하다는 거지!"

잔뜩 열이 받은 도현이 씩씩거리며 인주 옆을 서성이다 걸음을 멈췄다.

"왜 말 안 했어요?"

도현의 말투에 자신을 속인 것에 대한 배신감이 짙게 배어있었다.

"괜한 선입견 만들고 싶지 않았어요."
"다수의 사람들이 생각하는 게 선입견입니까?"
"그럼 보편타당한 진리라도 된다는 말인가요?"

인주가 따져 물었다.

"뭘 들었네, 어쩌네 하는 것도 진짜 들은 게 맞아요?"

도현은 인주에게 해서는 안 될 말까지 쏟아냈다.

"믿지 못한다는 거네요? 왜요, 정신병자 말이라서?"
"……"

도현은 실수였다 말하고 싶었지만 입 밖으로 튀어나오지 않았다.

"그래요! 이제 그만하죠."

인주가 어두워진 낯빛으로 말했다.

"이제 와 그만하자고요? 변명을 하던 설명을 하던 그게 먼저 아닙니까? 그래요, 그만합시다!"

화가 난 도현이 마음에도 없는 말을 내뱉었다.

"당신 같으면 어땠을 거 같은데? 하루아침에 두 다리를 쓰지 못하면 어떨 거 같냐고?"
"……"

도현은 아무 말도 할 수가 없었다. 냉정하게 휙 돌아서며 휠체어를 굴리며 가는 인주를 보던 도현은 머리를 한 대 쥐어박고는 자신의 다리로 시선을 옮겼다.

<15>

침울한 표정의 인주가 자신의 아파트 엘리베이터에 올랐다. 엘리베이터 상단 화면에 11이라는 숫자가 뜨자 곧이어 문이 열렸다. 휠체어 바퀴를 굴리며 복도를 지나가는데 문자메시지가 들어왔다. 인주는 대수롭지 않다는 듯 힐끔 쳐다보고는 계속해서 휠체어 바퀴를 굴렸다.

복도 중간쯤에 다다랐지만 어찌 된 일인지 센서등이 들어오지 않았다. 인주가 손을 뻗어 좌우로 흔들어봤지만 반응이 없었다. 순간 인주는 왠지 모를 불안감에 사로잡혔고, 더욱 빠르게 휠체어 바퀴를 굴렸다. 가까스로 1110호에 도착한 인주가 번호키를 누르고는 재빨리 집 안으로 들어갔다.

신호대기 중인 차 안으로 보이는 도현이 울리지도 않는 휴대전화를 계속해서 만지작거렸다. 단축 버튼을 누르자 액정 안으로 인주의 전화번호가 보였지만, 좀처럼 통화버튼을 누르지 못했다. 그렇게 갈등하는 사이 신호가 바뀌었고, 뒤차에서 울리는 경적에 도현은 천천히 출발했다.

휠체어를 탄 인주가 거실 통유리에 앞에 앉아 창밖을 바라보고 있는데 휴대전화가 울렸다. 휠체어 바퀴를 능숙하게 굴리고는 식탁 위에 놓인 휴대폰을 집었다.

"어, 엄마! 아줌만 좀 어때?"
"말두마라. 경동맥이라 카든가, 거기를 제대로 찔려가 오늘이 고비라카드라."

다소 흥분된 엄마의 목소리에선 안타까움과 분노가 동시에 묻어나왔다.

"그럼, 오늘은 못 오겠네?"
"와? 보고 싶나?"
"보고 싶긴 누가?"
"가시나 말 좀 이쁘게 하라캐도... 문단속 잘허고 퍼뜩 자라 마."

전화를 끊은 인주가 리모컨을 집어 TV를 켜는데 초인종 소리가 들렸다. 보행기에 의지한 인주가 외시경 가까이 눈을 대 보지만 아무도 없었다. 잠금장치를 풀고 조심스럽게 현관문을 열어보지만,

아무도 없는 빈 복도엔 바로 전에까지 들어오지 않던 센서 등이 환하게 켜있었다. 불안한 듯 재빨리 현관문을 닫고 들어서는데 또다시 초인종이 울렸다. 순간 불안함이 엄습한 인주는 현관 옆 신발장에 놓인 멍키스패너를 꺼냈다. 멍키스패너를 꽉 움켜쥔 채 외시 경에 눈을 갖다 대는데, 검은 물체 하나가 빠르게 휙 지나갔다. 놀란 인주는 여러 개의 잠금장치를 빠르게 걸어 잠갔다.

잠시 후 딩동- 소리와 함께 문자메시지가 들어오고, 문자메시지를 확인하던 인주가 놀라 자신의 입을 틀어막았다. 문자메시지 속 #4376는 다름 아닌 인주의 집 현관 비밀번호였기 때문이었다.

인주는 잠겨 있는 현관문 잠금장치를 미친 듯이 풀기 시작했다. 마지막 잠금장치가 풀리고 밖으로 나가려던 인주가 천천히 뒤를 돌아보면, 빠르게 달려드는 검은 그림자가 인주를 덮쳤다.

놈이 바닥으로 쓰러진 인주의 입을 틀어막았고, 귀에 대고 소름 끼치는 웃음소리를 흘리자 인주의 눈은 급격히 커졌다. 품 안에 숨겨둔 멍키스패너로 놈의 얼굴을 가격하자 놈은 비명을 지르며 고통스러워했다. 인주가 천천히 돌아보면 다름 아닌 형진이었다. 형진이 인주를 강하게 밀어붙였고, 인주는 층층이 쌓아놓은 마트 물건들을 덮치며 쓰러졌다. 얼굴에서 흘러내리는 피로 인해 형진은 더 괴기스럽게 보였고, 그런 형진이 인주의 멱살을 잡아 일으키고는 다시 바닥에 내동댕이쳤다.

천천히 인주를 향해 다가서는 형진의 손에는 주희를 살해할 당시 사용했던 시퍼런 칼이 들려있었다. 놀란 인주가 힘겹게 바닥을 기기 시작했고, 형진이 그런 인주의 발을 쭉 잡아당겼다. 미끄러지듯 딸려오는 인주가 뭔가를 잡으려 안간힘을 썼고 어느새 락스통이 잡혔다. 형진이 칼로 찌르려는 순간 인주는 형진의 얼굴에 락스를 확 끼얹었다. 얼굴에 락스를 뒤집어쓴 형진은 고통스러운 표정으로 눈도 뜨지 못한 채 비틀거리며 싱크대로 향했다. 싱크대 수도꼭지를 틀고는 흐르는 물에 얼굴을 들이밀었다.

그 사이 인주는 자신의 휴대전화를 챙겨 들고는 휠체어 바퀴를 굴리며 빠르게 밖으로 도망쳤다. 겁에 질린 표정의 인주는 계속해서 뒤를 돌아보며 휠체어 바퀴를 굴렸다. 인주가 엘리베이터 앞에 다다르자 얼마 지나지 않아 문이 열렸고, 다행이 그때까지 형진의 모습은 보이지 않았다.

인주가 안도의 한숨을 내쉬고는 빠르게 닫힘 버튼을 눌렀다. 마음이 급한 인주와 달리 엘리베이터는 더디게 내려갔다. 인주는 손에 쥐고 있던 휴대전화로 도현에게 전화를 걸었다.

운전 중인 도현은 여전히 휴대전화를 만지작거리고 있었다. 안 되겠는지 인주에게 전화를 걸려는 그때 인주에게서 전화가 걸려왔다.

"인주씨, 아깐 미안했어요. 그런 의도로 한 말이 아니었는데."
"사... 살려주세요!"

휴대전화 너머로 인주의 울먹이는 목소리가 들렸다.

"왜 그래요? 무슨 일 있어요? 지금 갈 테니 거기 꼼짝 말고 있어요!"

전화를 끊은 도현이 반대편으로 핸들을 확 꺾었고, 찢어질 것 같은 타이어 파열음이 들렸다.

인주가 탄 엘리베이터가 5층에서 멈춰 섰다. 불안한 표정으로 열리는 문을 쳐다보는데 아무도 없었다. 그때 비상계단 문이 벌컥 열렸고, 형진이 인주를 향해 미친 듯이 달려왔다. 놀란 인주는 소리를 지르며 닫힘 버튼을 마구 눌렀다.

도현은 교차로 신호도 무시한 채 계속해서 속도를 높였고, 빠아앙- 경적을 울리며 달려오던 대형트럭이 급브레이크를 밟았다. 갑작스럽게 대형트럭 멈춰서자 트럭을 뒤따르던 차량들이 쾅!쾅!쾅 연쇄 추돌을 일으켰다.

출입문 계단 앞에 도착한 인주는 마침 주차장을 빠져나가는 차를 향해 소리쳤지만 듣지를 못했다. 탁!탁!탁! 누군가 빠르게 계단을 내려오는 소리 들렸고, 비상계단 문이 벌컥 열렸다. 다급한 인주가 휠체어를 탄 채 계단을 내려가다 그만 중심을 잃고 앞으로 굴렀다. 휠체어에서 튕겨져 나간 인주가 다시금 휠체어에 오르려 했지만 쉽지 않았다. 그때 형진이 비릿하게 웃으며 휠체어에서 쏟아져 나온 인주에게 다가섰다. 인주는 두 팔로 기다시피 도망쳤지만 역부족이었다.

맹수처럼 달려드는 형진의 모습에 포기한 듯 눈을 질끈 감는데 낯익은 목소리가 들렸다.

"괜찮으세요?"

인주가 눈을 뜨자 장애인 택시를 운전하던 필재였다.

"이 밤중에 이게 뭔 일이래요?"

필재는 뒤집혀진 휠체어를 바로 놓고는 인주를 앉혔다. 여전히 불안한 표정의 인주가 주위를 살피지만 형진의 모습은 보이지 않았다.

"병원부터 갈까요?"

필재가 걱정스러운 표정으로 물었다.

"아뇨, 신덕동으로 가주세요."

인주의 말에 필재는 장애인 택시에 인주를 태우고는 빠르게 아파트 단지를 벗어났다.

인주가 떠난 지 얼마 지나지 않아 도현의 택배차가 205동 주차장으로 빠르게 들어섰다. 차에서 내린 도현이 아파트 단지 이곳저곳을 살펴보지만 인주의 모습은 보이지 않았다. 그러다 도현이 바닥에 떨어진 뭔가를 발견했고, 집어 들면 휠체어에서 떨어져나온 손잡이 커버였다.

택시에 탄 인주는 불안한 표정으로 엄지손톱을 물어뜯었고 필재는 그런 인주를 걱정스럽게 쳐다봤다. 이때 웅-소리를 내며 인주의 휴대전화가 울렸다.

"어디에요, 지금?"
"도현씨, 택배 사무실로 가는 길이에요."
"그냥 거기서 기다리라니까요!"
"싫어요, 거긴...."
"사무실 비밀번호 찍어 줄 테니 거기서 꼼짝 말고 있어요."

전화를 끊은 인주 옆으로 도심의 네온 불빛이 인주의 얼굴을 할퀴며 지나갔다.

<16>

도현의 택배차가 영업소 앞에 빠르게 달려와 멈춰
섰다. 하지만 불 꺼진 사무실만 휑하니 보일 뿐
인주는 보이지 않았다. 도현은 혹시나 싶어 사무
실 안으로 들어갔지만 역시나 인주는 없었다.

인주가 창밖을 보며 생각에 잠겨 있는데 휴대전화
가 울렸다.

"어딘데 아직 안 와요?"

도현이 걱정스럽게 물었다.

"기사님! 아직 멀었어요?"

인주가 필재에게 물었다.

"앞에 사고가 난 거 같은데요?"

인주가 차 밖으로 시선을 옮기면, 접촉 사고가 난
듯 차에서 내린 기사들이 서로 언성을 높이고 있

었다. 손가락으로 핸들을 톡톡 두드리던 필재가 안 되겠는지 핸들을 꺾어 주택가 골목으로 들어갔다.

"좀 돌아가도 이쪽이 빠를 겁니다."
"신원초 사거리에서 사고가 났어요. 지금 우회전해서 주택가로 들어가는 중이고..."

인주는 설명하듯 도현에게 말했다.

"어디요? 거긴 이쪽으로 오는 길이 아닌데!"
".....!"

순간 인주는 놀란 표정으로 변했다.

"그 택시 인주씨가 부른 겁니까?"
".....!"

순간 인주는 또 한 번 놀랐다. 자신은 택시를 부른 적이 없을 뿐 아니라 그 단지에 장애인이라고는 인주뿐이었기 때문이었다.

사무실에서 나와 빠르게 택배차에 오른 도현이 다급한 표정으로 시동을 걸었다.

"의심할 수도 있으니 일단 전화 끊고 뭐든 보이는 걸 말해요!"

인주는 도현의 말대로 전화를 끊었고, 최대한 감정을 숨긴 채 필재의 눈치를 살폈다. 다행이 필재는 운전에만 열중할 뿐 별다른 반응을 보이지 않았다. 인주가 천천히 손을 뻗어 뒷문을 열어보려 하지만 어찌 된 영문인지 열리지 않았다.

같은 시간 빠르게 택배차를 몰고 있는 도현이 들어오는 톡을 확인했다.

"벽에 붙은 계량기, 쓰레기 투기 금지 안내문, 페인트 벗겨진 파란 철재 대문."

도현은 머릿속으로 위치를 떠올려보지만 좀처럼 생각이 나지 않았다. 빨리 기억해내라는 듯 자신의 머리를 손바닥으로 탁탁 때렸다. 그때 인주에게서 또다시 톡이 들어왔다.

"신축분양 현수막, 맨홀, 2층 계단 위 화분".

도현이 초조한 표정으로 생각에 잠기면, 자신이 지나쳤던 낡은 주택가가 영상처럼 쫙 펼쳐졌다.

과거 주택가를 오르던 도현의 택배차 옆으로 외벽에 달라붙어 있는 낡은 계량기가 보였고, 쓰레기봉투를 성의 없이 던지는 중년의 여자 옆으로 쓰레기 투기 금지 안내문이 보였다. 또한 여자가 흉물스럽게 벗겨진 파란색 철제 대문 안으로 들어가는 것도 보였다.

기억 속 장소로 빠르게 차를 몰던 도현은 핸들을 확 꺾고는 맞은편 골목 안으로 빠르게 들어갔다. 미로처럼 연결된 골목을 통과하자 내리막길이 보였고, 미끄러지듯 내리막길을 내려가자, 신원초등학교라 적힌 방향 표지판이 보였다.

긴장한 표정이 역력한 인주가 필재의 눈치를 살피며 단서가 될 만한 지형지물을 찾았다. 그때 필재와 눈이 마주쳤고, 인주는 어색한 웃음을 흘리고는 휴대폰을 슬그머니 감췄다.

도현의 택배차가 낡은 주택들이 다닥다닥 붙어있는 주택가로 빠르게 들어섰다. 페인트가 흉물스럽게 벗겨진 철재 대문을 지나는데 인주에게서 "*초록색 의류 수거함*"이라는 톡 들어왔다. 하지만 도현은 쉽사리 기억이 나지 않았고, 답답한지 자신의 머리를 마구 헝클였다. 그 순간 또다시 옛 기억들이 주마등처럼 떠올랐다.

과거 도현의 택배차가 비틀거리는 취객의 뒤를 졸졸 따라가고 있었다. 얼마쯤 가다 갑자기 사라진 취객이 내장을 쏟아놓을 듯 오바이트를 하기 시작했다. 그런 취객 옆으로 각종 광고 스티커를 휘감은 채 서 있는 초록색의 의류 수거함이 보였다.

필재가 룸미러로 톡을 보내고 있는 인주를 싸늘하게 쳐다봤다. 갑자기 방향을 바꾸자 인주의 몸이 심하게 휘청였다.

"이쪽이 지름길이라서요."

필재가 사람 좋게 웃으며 말했다. 택시가 칠흑같이 어둔 골목으로 들어서자, 인주는 긴장한 표정으로 마른침을 목젖 깊숙이 삼켰다.

택시가 어둔 골목을 벗어나자 인주는 안도의 한숨을 내쉬었다. 또다시 도현에게 톡을 보내려는 순간 인주는 소스라치게 놀라 휴대전화를 떨어뜨렸다. 그 이유는 필재가 어느새 인주의 코앞까지 다가와 있었기 때문이었다. 필재가 고개를 숙여 떨어진 인주의 휴대전화를 집고는 싸늘하게 웃었다. 소리를 지르며 도망치는 인주의 입을 필재가 틀어막았고, 인주는 있는 힘껏 필재의 손가락을 깨물었다. 필재가 고통스러운 듯 손가락을 부여잡으면 검지에서 피가 뚝뚝 떨어지고 있었다. 필재는 차 문을 열고 도망치려는 인주의 머리채를 잡아 창문에 내리찍었다. 인주는 그대로 의식을 잃었고, 필재는 입고 있던 티셔츠 벗어 이빨로 찢고는 피나는 손가락에 칭칭 감았다. 맨몸 상태인 필재의 등엔 사쿠라 문신이 선명했고, 일전에 형진이 끌고 나가던 그 사쿠라가 틀림없었다!

도현의 택배차가 골목길을 빠르게 내달렸고, 초록색의 의류 수거함이 빠르게 지나갔다. 휴대전화를 뚫어져라 쳐다보며 인주의 톡을 기다렸지만 아무런 연락도 오지 않았다.

필재의 택시가 낡은 빌라 앞에 멈춰 섰고, 의식 없는 인주를 들쳐 맸다. 인주를 들쳐 맨 필재가 반지하 계단을 터벅터벅 걸어 내려갔고, 그때마다 인주의 팔이 시계추처럼 흔들거렸다.

방향 잃은 도현의 택배차가 주택들이 빽빽이 들어 찬 주택가를 서성였다. 초록색 의류 수거함을 끝으로 더 이상 톡이 들어오지 않자 하는 수없이 인주에게 톡을 보냈다. 하지만 어찌 된 영문인지 인주는 읽지를 않았다. 불안한 마음에 도현은 차에서 내려 인주에게 전화를 걸었다. 그때 어디선가 웅-소리가 들렸고, 도현은 소리 나는 방향으로 내달렸다. 도현이 주차된 차량 밑을 확인하자 인주의 휴대전화가 보였다. 손을 뻗어 인주의 휴대전화를 꺼내자 채 보내지 못한 톡엔 9326G231란 알 수 없는 숫자와 영문이 쓰여 있었다. 불길한 표정의 도현이 병풍처럼 둘러싸고 있는 주택가를 빠르게 돌아봤다.

어느새 의식을 찾은 인주가 몸에 묶인 줄을 풀려

안간힘을 쓰고 있었고, 그 옆에 필재가 피떡이 된
채 쓰러져 있었다. 인주가 놀라 소리를 지르자 형
진이 쪼그리고 앉았다.

"아무래도 혼자는 심심할 거 같아서."
"남주희는 왜 죽였어? 아무 잘못도 없는 앨 왜
죽였냐고?"
"지금 그게 궁금해? 니가 죽을지 살지 궁금한 게
아니고?"
"미친 새끼!"

인주의 욕설에 양미간을 좁히던 형진이 손가락으
로 인주의 터진 머리를 꾹 눌렀다. 인주는 고통스
러운 듯 비명을 질렀다.

"다들 아픈 곳은 하나쯤 있잖아! 남이 건드리지
않았으며 하는!"
" ......"

인주는 무슨 말인지 모르겠다는 듯 형진을 노려봤
고, 형진은 가슴팍에서 뭔가를 꺼내 인주 앞에 툭
던졌다.

그것은 속도위반 과태료 통지서였다. 사진 속 운전석엔 어렴풋이 필재가 보였고, 조수석은 블라인드 처리가 돼 동승자가 보이지 않았다. 한참을 들여다보던 인주는 뭔가가 떠오르는 듯 소스라치게 놀랐다. 그 이유는 인주의 두 다리를 못 쓰게 만든 이가 이들이었기 때문이었다. 인주는 둔기로 머리를 얻어맞은 듯 멍한 표정으로 형진을 쳐다봤다.

"주희를 죽인 이유가.... 서... 설마...."
"이제 좀 감이 오시나? 경찰도 포기한 사건을 끈질기게 물고 늘어지더라고. 강릉경찰서를 자기 집 드나들 듯 드나드니 어쩌겠어!"
"고작 그것 때문에 죽였다는 거야?"

인주가 분노에 찬 표정으로 물었다.

"고작 그거 때문이겠어. 그년이 들어간 통신사 고객센터 말이야, 그게 다 계획적으로 들어간 거더라고."

인주는 쉽게 납득이 안 된다는 표정으로 형진을 쳐다봤다.

"네가 뺑소니 교통사고를 당한 날 인근 기지국에서 잡힌 고객들의 정보를 몰래 빼봤더라고. 뭐, 콜센터에 있으면 그런 건 식은 죽 먹길 테니까. 그러고는 그 번호의 주소지를 전부 찾아다녔나 보더라고. 운이 없었는지 지금 자빠져 있는 저 새끼 집에서 과속위반 통지서가 발견됐고. 거기 위반장소하고 시간대까지 나와 있으니 빼박이잖아."

이제야 주희가 죽게 된 이유를 안 인주는 미안함에 고개를 떨궜다.

"살아보니 사람이 죽는 덴 두 가지 이유가 있더라고! 죽을 때가 되었거나.... 봐서는 안 될 걸 봤거나...."

형진의 뻔뻔함에 인주는 치가 떨렸다.

"아, 그리고 너무 미안해할 필요 없어. 곧 만나게 될 테니. 조금만 기다리고 있으라고."

형진이 잠시 자리를 떴고, 인주는 주먹을 쥔 채 죽어있는 필재의 손에서 뭔가를 발견했다.

가까스로 필재의 손을 펴자 유에스비가 보였다. 잠시 후 방에서 형진이 모습을 드러내자, 인주는 유에스비를 자신의 양발 안에 쑤셔 넣었다. 방에서 누런 포대를 들고나온 형진이 인주의 머리에 포대를 씌웠다.

도현은 계속해서 인주의 흔적을 쫓으며 주택가를 뒤지고 있었다. 그때 환하게 등을 밝히고 있는 전신주 옆을 지나가다 뭔가 이상한지 다시 다가와 살폈다. 덕지덕지 붙어있는 광고 전단지 사이로 숫자가 보였다. 다름 아닌 전신주 고유식별번호였고, 인주의 카톡 속 9326G231과 정확히 일치했다. 빠르게 주위를 살피자 골목 옆으로 필재의 택시가 삐죽 튀어나와 있었고, 도현은 황급히 조형사에게 전화를 걸었다.

<17>

포대 안에서 꿈틀대는 인주를 걸쳐 멘 형진이 계단을 올랐다. 포대가 흘러내리자 한번 툭 튕기고는 자신의 차에 태웠다. 형진이 시동을 걸자 소리에 놀란 동네 개들이 일제히 컹컹거리며 짖기 시작했다.

형진의 그랜저가 국도를 빠르게 달리고 시작했고, 흘러나오는 음악에 맞춰 발을 까딱거리기까지 했다. 흥이 오르는지 볼륨을 높이는데 좌측 백미러로 도현의 택배차가 보였다. 순간 얼굴이 일그러지는 형진이 속도를 높였고, 차량 사이를 요리조리 빠져나갔다. 도현 또한 속도를 높이며 빠르게 달아나는 형진의 그랜저를 따라잡았다. 어느새 그랜저와 택배차가 앞서거니 뒤서거니를 하며 나란히 달리기 시작했다. 도현이 속도를 더욱 높여 그랜저 앞을 막아섰다. 그러자 그랜저가 후진하기 시작했고, 택배차 역시 후진을 하기 시작했다. 후진하던 형진이 갑자기 핸들을 꺾고는 상가 골목으로 들어갔다.

양옆으로 상가들이 다닥다닥 붙어있는 중앙을 그 랜저와 택배차가 내달렸다. 형진이 도현을 향해 핸들을 확 꺾자 부딪치며 상가 쪽으로 택배차가 밀리기 시작했고, 갑작스러운 차량들의 등장에 놀 란 사람들이 비명을 지르며 상가 안으로 몸을 피 했다. 사람들의 비명소리에도 형진은 계속해서 택 배차를 밀어붙였다. 차체가 부딪치자 파바박- 불 꽃이 튀었고, 길가에 나와 있는 입간판과 과일상 자 등을 연달아 들이박았다.

그때 여섯 살 남짓의 사내아이가 달려오는 그랜저 를 보고 울음을 터뜨렸다. 그랜저가 아이를 덮치 려 하자, 도현의 택배차가 아이 앞을 가로막았다. 속도를 줄이지 않던 그랜저는 그대로 택배차를 들 이박았고, 도현의 머리에서는 주르륵 피가 흘러내 렸다.

형진은 정신이 몽롱해 보이는 도현에게 비릿한 웃 음을 흘리고는 또다시 속도를 높였다. 겨우 정신 을 차린 도현은 다시 형진을 뒤쫓기 시작했고, 미 로처럼 연결된 골목 사이로 그랜저가 보였다 사라 졌다를 반복했다.

어느새 그랜저가 사라졌고, 당황한 도현이 반대편으로 핸들을 확 꺾는데 휠 커버가 타이어에서 이탈하며 데구루루 굴렀다. 좁은 골목을 지나 도로로 통하는 큰길에 들어서자 신호대기 중인 그랜저가 보였다. 그랜저를 따라잡기 위해 속도를 높이는 순간 신호가 바뀌었고, 신호를 무시하며 달리다 우측에서 달려오던 차가 도현의 택배차를 들이박았다. 고통스러워하는 도현이 겨우 정신을 차리고는 다시 시동을 걸었지만 좀처럼 걸리지 않았다. 그때 택배차 앞쪽에서 스멀스멀 연기가 피어올랐고, 멀어져 가는 그랜저 운전석 밖으로 형진의 가운데 손가락이 쑥 튀어나왔다.

"씨발!"

도현은 짜증 섞인 욕설을 내뱉고는 핸들을 신경질적으로 내리쳤다.

누런 포대를 걸쳐 맨 형진은 계속해서 산길을 올랐다. 미리 답사한 장소에 도착하자 포대를 내려놓고는 삽질을 시작했다. 그때 어디선가 바스락바스락거리는 소리가 들렸고, 놀란 형진이 대삽을

움켜쥔 채 빠르게 소리 나는 방향으로 랜턴을 비췄다. 하지만 아무것도 없었고, 형진은 다시금 삽질을 시작했다. 일정 깊이까지 파진 구덩이를 만족스럽다는 듯 쳐다본 형진이 구덩이 안으로 포대를 던지려는 순간 조형사가 모습을 드러냈다.

"선배! 다 끝났으니 내려놔요."
"니... 니가 여긴 어떻게..."

형진이 놀란 표정으로 물었다.

"비밀이 많으면 의심 또한 많이 사기 마련이죠. 다 들었어요, 선배가 그동안 어떤 짓들을 벌였는지."
"조형사, 뭔가 잘못 알고 있는 거 같은데 이거부터 처리하고 내 다 얘기해 줄게."

형진이 인주가 담긴 포대를 재차 구덩이 안으로 던지려 하자, 조형사가 권총을 꺼내 들었다.

"한 발짝만 더 움직이면 발포합니다."
"알았어, 알았다고."

포기한 듯 형진은 포대를 내려놓고는 두 손을 추어올렸다. 조형사가 그런 형진의 손목에 수갑을 채웠고 다른 한쪽을 채우려는 사이 형진이 조형사를 밀치며 도망치기 시작했다. 순간 조형사는 권총을 꺼내 겨눴다. 하지만 차마 쏠 수가 없었다.

"제기랄."

가슴팍에 권총을 쑤셔 넣은 조형사가 형진을 빠르게 쫓았고, 미친 듯이 도망치는 형진이 비좁은 교각 위로 올라섰다. 멈춰서 있는 차량이 보이자, 형진은 교각과 좁은 차 사이를 비집고 들어섰다. 그때 갑자기 운전석 문이 열리고 형진은 발라당 넘어졌다.

"어떤 미친 새끼가...."

형진이 욕설을 내뱉으며 일어서면, 지배인이 천천히 모습을 드러냈다.

"그만 포기해요, 그럴수록 더 추잡해지니까."
"너였냐, 날 팔아먹은게?"

"우리가 서로를 지켜주고 보듬어주고 할 사인 아니잖아요. 오세요, 얼른."

지배인이 칼을 빼 들자 형진은 반대쪽으로 도망쳤고, 반대편 조수석 문이 열리자 또다시 발라당 넘어졌다. 조수석에서 모습을 드러낸 이는 다름 아닌 도현이었다. 진퇴양난에 빠진 형진은 때마침 달려오는 조형사를 보고는 더는 어찌할 수 없다는 듯 탄식 섞인 한숨을 토해냈다.

<18>

취조실 의자에 삐딱하게 앉아 있는 형진을 조형사가 못마땅하게 쳐다봤다.

"거 똑바로 좀 앉아요."

조형사가 양미간을 좁히며 말했다.

"조형사! 나 아냐! 필재 그 새끼가 다 꾸민 거라니까! 그래놓고 자긴 스스로 목숨을 끊은 거라고 그게."
"죽은 사람은 말이 없다, 뭐 그건가?"
"내가 뭐가 아쉬워 그랬겠어, 난 그냥 더럽게 엮인 거라니까."

말없이 형진을 노려보던 조형사는 유심 하나를 꺼내 자신의 휴대전화에 밀어 넣고는 어딘가로 전화를 걸었다. 몇 차례 신호 끝에 형진의 휴대전화가 울렸다.

"뭐해요? 안 받고?"

형진이 액정에 뜬 번호를 확인하자 윤호에게 걸려 왔던 그 번호였다!

"요, 스마트 폰이 좋은 게 유심을 넣다 뺐다 하면 이력이 남는다는 겁니다. 물론 선배 폰에서 여러 차례 유심 변경 내역이 확인되었고...."

형진은 미처 예상하지 못했다는 듯 조형사를 쳐다 봤다.

"그.... 유심을 네가 어떻게?"
"선배 자리에서 커필 먹다 흘린 적이 있는데 커 필 닦다 보니 마우스 패드 밑에서 이게 나옵디 다."
"차명 폰 좀 썼다고 그게 현장에 있었다는 증거 가 되나?"

형진은 끝까지 반성의 기미가 보이질 않았다.

"끝까지 바닥으로 나오시겠다?"

조형사가 형진 앞에 티셔츠가 담긴 증거보관용 팩

을 툭 던졌다.

"그거 선배 것 맞죠? 거기 소매 끝단에 묻은 게 뭘 거 같아요?"
"……"
"분홍색 매니큐어랍니다, 사망 당시 남주희씨가 바르고 있던."

남주희의 매니큐어라는 말에 형진은 소스라치게 놀랐다.

"모든 접촉은 흔적을 남긴다! 선배가 자주 했던 말이잖아요?"
"이 새끼, 형사 다됐네."

형진이 큭큭거리며 인주가 들었던 기괴한 웃음을 흘렸다.

"그래 남주희는 내가 그랬다 쳐도, 필재는 아니 야! 그럴 이유가 없잖아, 우린 한배를 탄 공범인 데."
"공범이라서 그런 건 아니고요?"

조형사의 물음에 형진은 당황스러운 기색이 역력했다.

"부모·형제도 못 믿는 세상인데 필재를 어떻게 믿겠어요! 남주희도 죽었겠다, 필재만 사라지면 모든 게 묻히는데."
"조형사! 팩트만 얘기해야지, 그렇게 넘겨짚지 말고."
"팩트라…. 뭐 이런 거요?"

조형사는 형진 앞에 인주가 발견한 유에스비를 내밀었다.

"그놈이 선배가 저지른 일들을 모두 저장해 놨더라고요, 고맙게도."

일순 경악스러운 표정으로 변하던 형진이 갑자기 실성한 듯 웃기 시작했다.

"이제 다 끝난 거 같지? 니가 이긴 거 같고?"
"……"

조형사는 갑작스러운 형진의 행동에 불길함을 느
꼈다.

치안센터에 있는 인주가 여전히 불안한지 부들부들 떨고 있었고, 여경이 그런 인주에게 머그컵을 내밀었다.

"허브찬데 기분전환에 좋다네요."
"감사합니다. 근데 다른 분들을 안 계세요?"
"다들 순찰을 나가서요, 걱정하지 마세요, 여긴 안전하니."

인주는 여경의 말에도 쉽사리 안심이 안 되는지 바람에 흔들리는 출입문을 계속해서 쳐다봤다. 그때 검은 그림자가 빠르게 휙 지나갔다.

취조실 밖으로 나온 조형사가 초조한 표정으로 누군가에게 전화를 걸었다. 전화를 받지 않자 재차 전화를 걸어봤지만 계속해서 받지를 않았다. 조형사는 안 되겠는지 복도를 빠르게 내달리기 시작했다.

여경의 휴대전화가 책상 위에서 진동 소리를 내고

있었고, 액정엔 조형사님이라고 떴다. 그때 책상 아래서 피 묻은 여경의 손이 쑥 올라왔다. 휴대전화를 집으려 안간힘을 쓰다 휴대전화와 함께 그대로 쓰러졌다.

이를 알 리 없는 도현은 택배차를 몰며 자신의 일에 한창이었고, 횡단보도 신호에 걸려 있었다. 도현은 횡단보도를 빠르게 건너고 있는 사람들의 발을 무심하게 쳐다봤다. 오가는 사람들의 발을 쳐다보던 도현의 눈이 급격히 커졌고, 신호가 바뀌자마자 반대편을 핸들을 확 꺾었다.

오가는 사람들의 발을 보던 도현은 불현듯 대명빌라에서 봤던 비옷 입은 택배기사가 떠올랐고, 당시 놈의 걸음걸이는 외족지보행(팔자걸음)이었지만 형진의 발걸음은 그렇지 않다는 사실을 깨달았다. 도현은 이리저리 차선을 변경하며 더욱 속도를 높였다. 어느새 경찰서 밖으로 뛰쳐나온 조형사가 동료 형사들에게 소리쳤다.

"빨리들 움직여!"

조형사의 말에 동료 형사들은 급히 차에 올랐고, 줄지어 경찰서를 빠져나갔다.

같은 시간 정복 차림의 여경이 치안센터 바닥에 쓰러져 꿈틀대고 있었고, 여경의 배에서 흘러나온 피가 휴대전화를 집어삼키고 있었다. 그런 여경을 본 인주는 다급하게 유선전화를 집어 들고는 119 버튼을 눌렀지만 어찌 된 영문인지 먹통이었다. 휠체어 바퀴를 굴리며 출입문으로 나가려 했지만 이미 굳게 잠긴 상태였다.

"그만 포기해."

수사과장이 피 묻은 칼을 바닥에 탁탁 털며 다가섰다. 인주가 피할 사이도 없이 칼을 추켜올렸고, 그때 도현의 택배차가 빠르게 달려와 멈춰 섰다. 차에서 내린 도현이 치안센터 안으로 들어가려 했지만 들어갈 수가 없었다. 차에서 소화기를 가져와 출입문 유리를 깨고는 안으로 뛰어 들어갔다. 치안센터 안은 칠흑 같은 어둠에 휩싸여 있었고, 도현은 휴대전화를 꺼내 실내를 비췄다.

천천히 발걸음을 옮기는데 쓰러져 있는 여경 이 보였고, 놀란 도현이 코에 손을 대봤지만 이미 숨을 거둔 상태였다. 그때 누군가 울먹이는 소리가 들렸다. 도현은 소리 나는 방향으로 빠르게 휴대전화를 비췄고, 피범벅이 된 채 휠체어에 앉아 있는 인주가 보였다.

"인주씨! 괜찮아요?"

놀란 도현이 빠르게 다가섰고, 입고 있던 옷을 찢어 지혈했지만 인주의 피가 아니었다. 그때 수사과장이 도현의 등 뒤에서 모습을 드러냈고, 인주의 눈빛에 도현은 위험을 감지했다. 책상 위에 있던 무전기를 집은 도현이 수사과장의 머리를 강하게 후려쳤다. 머리에서 흐르는 피를 보자 흥분한 수사과장이 도현을 향해 칼을 휘둘렀다.

"아악!"

도현은 비명소리와 함께 무전기를 떨어뜨렸다.

"죽고 싶어 환장한 놈이 여기 또 있었네."

수사과장이 칼에 베인 팔을 부여잡고 있는 도현을 보며 차갑게 웃었다.

"미친놈."

도현이 수사과장을 향해 달려들었고, 곧이어 두 사람이 엎치락뒤치락 몸싸움을 하며 바닥을 뒹굴었다. 어느새 도현의 배 위에 올라탄 수사과장이 칼로 도현의 목을 찌르려 했고, 도현은 칼 잡은 수사과장의 손을 사력을 다해 막으려 했다. 하지만 다친 팔 때문인지 점점 힘이 빠졌다. 수사과장의 칼이 서서히 도현의 목을 향해 내려왔고, 칼끝이 목에 닿자 피가 스멀스멀 흘러나왔다.

"인과응보라 생각해."

적반하장도 유분수였지만 도현은 대꾸할 힘도 없었다. 한계점에 다다른 도현은 더 이상 버틸 힘이 없다는 듯 눈을 질끈 감았다. 그때 수사과장이 억 - 하는 소리와 함께 옆으로 푹 쓰러졌고, 도현의 소화기를 든 인주가 부들부들 떨고 있었다.

멀리서 경찰차 사이렌 소리 들리자, 인주는 들고

있던 소화기를 떨어뜨리며 눈물을 흘렸고, 도현은
그런 인주를 꼭 끌어안았다.

<에필로그>

교도소 철문이 철커덩-소리를 내며 열리자, 재소자들이 하나둘 모습을 드러냈다. 그런 재소자들 사이로 윤호가 보였고, 뜬눈으로 밤을 지새우던 윤호 모가 윤호를 와락 끌어안았다. 먼발치에 있던 도현은 엄마 품에 안겨 질질 짜고 있는 윤호가 못마땅했다.

"아주 지랄을 한다! 누군 자기 땜에 청심환을 입에 달고 살았고만... 이거나 빨리 먹고 저거나 끌고 가!"

윤호는 도현이 내민 두부를 게걸스럽게 먹기 시작했다.

"근데 뭘 끌고 가라고?"

윤호가 도현에게 물었다. 도현이 눈짓을 하자 돌아보면 택배차가 떡하니 버티고 서 있었다.

"저거 때문에 죽다 살았는데 저걸 또 하라고? 죽

으면 죽었지, 나는 못 한다!"
"그럼 뭐 할 건데?"
"세상이 이렇게 넓은데 내 일자리 하나 없겠어?"
"그렇게 많아서 내리 삼 년 하고도 육 개월을 놀
았냐?"

도현이 짜증 섞인 말투로 물었다.

"그래도 택밴 아니지. 엄마도 내켜 하지 않으실
거고...."
"내가 보호자 동의도 없이 이러겠어?"

놀란 윤호가 설마 하는 표정으로 윤호 모를 쳐다
보면, 윤호 모는 말 없이 고개를 끄덕였다. 도현이
어이없어하는 윤호에게 택배차 키를 던지는데 휴
대전화가 울렸다.

"꺄아아악- 사... 살려주세요!!"
"인주씨, 거기 어딥니까? 지금 갈 테니 꼼짝 말고
있어요!"

자신의 택배차에 올라탄 도현이 시동을 걸고는 속

도를 높였다. 인주의 아파트에 도착하자 휠체어에 앉아 있는 인주가 보였고, 통화 속 상황과는 달리 너무나 평온해 보였다.

"무슨 일 있는 거 아니었어요?"
"트라우마 때문에 택시를 못 타겠어요."

도현은 실로 어이가 없었다.

"인주씨 트라우마만 생각하고 내 트라우만 생각 안 해요?"
"그냥 불렀으면 안 왔을 거면서..."

인주가 뾰로통한 표정으로 말했다.

"그렇다고 비명을 질러요? 사람 놀라게?"
"놀랐어요? 내가 또 어떻게 될까 봐?"

인주가 반색하며 물었다.

"놀라긴 누가 놀랬다고 그래요!"

말과는 달리 도현의 옷은 이미 땀으로 흠뻑 젖어 있었다.

"얼른 타기나 해요."

도현이 인주를 번쩍 안아 조수석에 태우고는 짐칸에 휠체어를 실었다. 인주를 태운 도현의 택배차가 비교적 차량 흐름이 원활한 도로를 빠르게 내달렸다. 어느새 한강대교를 지나고 있었고, 아직도 진정이 안 되는지 도현은 우황청심환을 입안에 쑤셔 넣었다.

"한 번 더 그러면 그땐 진짜 화낼 겁니다."
"남자가 쪼잔해서는."
"뭐, 쪼잔해요? 그게 한걸음에 달려온 사람한테 할 소립니까?"

도현이 못내 섭섭한 듯 말했다.

"하아- 진짜 말 많네. 그냥 내려줘요!"

인주가 퉁명스럽게 말했다.

"내리긴 여기가 어디라고 내려요!"

"됐으니, 그냥 내려 달라고요!"

"내려주면 또 비명 지르면서 데려가라 그러려고요?"

도현은 어설프게 인주의 비명소리를 흉내 냈다.

"하나도 안 비슷하거든요! 대체 언제까지 이럴 건데요?"

"도착할 때까지 이럴 겁니다, 왜요!"

계속해서 티격태격하는 두 사람을 태운 택배차가 점점 멀어지고 있었고, 택배차 옆으로 잔잔한 강물이 햇빛에 반사되며 반짝이고 있었다.

- 끝 -

특별한 파트너

지은이 : 안교찬

펴낸이 : 이제현

발행일 : 2024년 6월 7일

ISBN : 979-11-93256-24-4(03810)

펴낸곳 : 잇스토리

마케팅 : 매드플랙션

출판신고 : 제 2023-000021호

이메일 : it-story@b-camp.net

잇스토리는 영상 IP 전문 프로덕션입니다.

영화/드라마와 소설의 경계선에서 이야기를 찾아가고 있습니다.

문을 두드려 주세요. 문의와 제안은 언제나 즐겁습니다.

홈페이지 : http://itsastory.modoo.at

인스타그램 : http://instagram.com/it_story.kr

블로그 : http://blog.naver.com/it-story